專科目錄的編輯方法

林慶彰主編

何淑蘋編輯

臺灣 學生書局 印行

編者序

民國八十九年三月起筆者在東吳大學中國文學系博碩士班講授一學期的「索引學研究」，至當年六月結束。系主任許清雲教授所以要筆者來講授這一課程，大概是筆者曾經主編過《經學研究論著目錄（1912－1987）》、《經學研究論著目錄（1988－1992）》、《日本研究經學論著目錄（1900－1992）》、《朱子學研究書目（1912－1991）》、《乾嘉學術研究論著目錄（1900－1993）》、《日本儒學研究書目》等專科目錄，所以筆者就以「專科目錄」的編輯方法來作爲「索引學研究」這一課程的內容。

筆者編輯專科目錄雖經驗豐富，但要將這些經驗作爲講課的材料，仍必須作一番安排與設計。經過多方思考，筆者把一學期的課程作如下的安排：

第一至八週，講授專科目錄的編輯方法，以筆者發表於《書目季刊》第三十卷第四期（1997年3月）的〈專科目錄的編輯方法〉一文作爲教材，從編輯前的準備工作、如何蒐集資料、如何整理資料、資料的分類編排，到編輯工作完成後，如何編輯索引，都儘量舉例加以說明。

第九至十六週，舉國內數種具有代表性的專科目錄，討論其編輯體例的得失，並說明其貢獻。所討論過的專科目錄計有《經學研究論著目錄》、《中國文化研究論文目錄》、《中國文學論著集目》、

《詞學研究書目》、《詞學論著總目》等。

這樣的課程安排，不但讓來選修的學生對如何編輯專科目錄有較深入的了解，對現有重要專科目錄的優缺點也有些許認識。假設這些學生將來願意編輯專科目錄，不但有依循的方法，也可避免前人所犯的錯誤。

民國九十年三月起筆者又第二次講授「索引學研究」這一課程，除依民國八十九年的方法，講授專科目錄的編輯方法外，為使學生有更多實地練習的機會，筆者設計了八個題目，讓每位選修的同學各選一個題目，所訂題目如下：

 1.「凡例」的檢討

 2.「正文」編排的檢討

 3.「附錄」的檢討

 4.「索引」的檢討

以上四題，屬於專科目錄本身問題的探討。另四題是：

 5. 評《經學研究論著目錄》

 6. 評《中國文化研究論文目錄》

 7. 評《中國文學論著集目》

 8.《詞學研究書目》和《詞學論著總目》之比較

以上四題為現有重要專科目錄的評介。各論文皆需按筆者所撰《學術論文寫作指引》（臺北：萬卷樓圖書公司，1996年9月）所訂規範來撰寫。每篇論文的字數至少一萬字以上。從第九週起，每週宣讀一篇論文，時間是五十分鐘，另五十分鐘自由討論，由於討論非常熱烈，五十分鐘往往有所不足。每篇作者根據課堂上同學及筆者所提意見再作修正，作為期終報告。

　　當今的學術界編輯專科目錄的風氣越來越盛，但討論如何編輯專科目錄的論文也衹有學界前輩胡楚生教授的〈專科目錄的利用與編纂〉（《書評書目》第94期，1981年2月）和筆者的〈專科目錄的編輯方法〉二文而已。爲了讓想編輯專科目錄的學者對專科目錄的編輯方法和現行專科目錄的優缺點有更深一層的了解，將這八篇經詳細討論過的論文，再加上胡教授和筆者的論文，輯爲一書，不但可完整保存這些論文，對學界也應有一些貢獻。全書由何淑蘋學弟統一體例，書名則定爲《專科目錄的編輯方法》。

　　這是國內第一本有系統討論專科目錄的著作，相信對提昇專科目錄的編輯水準多少有所幫助。胡楚生教授同意讓大作收入本書中；陳進益、王清信、薛雅文、葉純芳、何淑蘋、陳邦祥、許馨元、謝旻琪等八位學弟，願意提供論文；何淑蘋學弟義務擔任全書統整工作，在此一併表達深深的謝意。

二○○一年九月 **林慶彰** 誌於
中央研究院中國文哲研究所

專科目錄的編輯方法

目　次

專科目錄的利用與編纂

胡楚生 *

一、引 言

　　從事研究工作，除了掌握問題的基本材料之外，同時，也需要將問題有關的論著，廣泛地加以蒐集，作爲參考比較的資料，而在資料蒐集的過程中，目錄索引，則是不可缺少的工具。

　　隨著學術的分工越來越爲細密，問題的研究也越來越加專門，一般綜合性的目錄索引，有時已不敷應用，在需求的力量推動之下，專科目錄便逐漸產生。

　　所謂專科目錄，是針對某些專門而自成系統的學科，所編纂而成的目錄，此種目錄的編纂，主要是希望能將某一學科有關的論著資料，在目錄之中，巨細靡遺，網羅殆盡，以便使用的人們，一編在手，對於所需的資料，能夠達到按圖索驥、檢索即得、省時省事的目的，從而了解過去，策勵將來，在學術的研究上，取

＊　中興大學中國文學系教授。

得更好的成績。

二、當前常見的專科目錄

在我國的歷史上，最早的專科目錄，也許要推張良與韓信所編纂的軍事書目，《漢書・藝文志》曾經記載：「漢興，張良、韓信，序次兵法，凡八十二家，刪取要用，定著三十五家。」這似乎是最早為一種學科所編纂而成的目錄。

專科目錄，直到清代，才出現較多，種類也逐漸增加，像朱彝尊的《經義考》、謝啓昆的《小學考》、胡元玉的《雅學考》、黎經誥的《許學考》等，都是非常實用的專科目錄。

到了近代，由於學術的研究日趨專精，專科目錄的需求也日益迫切，數量也大為增多，即以文史哲學等方面言，如王重民的《老子考》、《敦煌古籍敍錄》、嚴靈峰的《老列莊三子知見書目》、《墨子知見書目》、馬森的《莊子書錄》、阮廷焯的《荀子書錄》、《大戴禮記書錄》、邱燮友的《選學考》、饒宗頤的《楚辭書錄》、《詞籍考》、姜亮夫的《楚辭書目五種》、王熙元的《歷代詞話敍錄》、賀次君的《史記書錄》、林明波的《清代許學考》、《清代雅學考》、邵子風的《甲骨書錄解題》、胡厚宣的《五十年甲骨論著目》、丁介民的《方言考》、梁容若的《中國文學史書目》、余秉權的《中國史學論文引得》、鄺利安的《魏晉南北朝史研究論文書目引得》、羅聯添的《唐代文學論著集目》、宋晞的《宋史研究論文索引》、陳璧如的《文學論文索引》等等，都是當前常見的一些專科目錄。

三、專科目錄的利用

在學術研究的過程中，目錄索引，如同人們的耳目，使人們在最經濟的時間內，了解學術發展的狀況，前人研究的成果，作為自己的參考，因此，專科目錄，至少能為人們提供下列的幾種服務：

1、蒐集參考資料

屈翼鵬先生談到國人對於文史的研究時，曾經說道：「國人研究文史的，除了極少數學術研究機關和極少數大學的人員外，一般的情形，是知古而不知今（對於現代人研究的成果多不知道），知中而不知外（對於外國人研究漢學的情形多無所知）。由於不了解學術的行情，於是他們自己所選擇的研究題目，或指導學生所作論文的題目，常常是早已有人研究過，而且已經得到正確結論的。因為自己不知，於是花上幾年冤枉功夫，所得的結論，不是人家早就說過了，就是還遠不及人家的水準，這豈僅是浪費了時間，還必然會受到國際學者的輕視。」（引見朱仁昶〈圖書館的理論與實際〉一文，載《東海大學圖書館學報》11期）從事研究工作，要避免這種現象，只有儘量利用專科目錄，將研究有關的資料論著，涓滴無遺地蒐集起來，作為參考，在詳細比較之下，然後再從前人研究的成果上面，累積一點自己的創見，這樣，研究的成績，才能夠推陳出新，向前邁進。

例如人們要研究孔雀東南飛，僅僅在陳璧如的《文學論文索引初編》之中，便已臚列了不少學者們研究這一方面的成果，可供參考，像胡雲翼的〈孔雀東南飛辨異〉、張文昌的〈再論孔雀東南飛〉、田楚僑的〈研孔雀東南飛的我見〉、陸侃如的〈孔雀東南飛考證〉、

黃晦聞的〈孔雀東南飛之討論〉、胡適的〈孔雀東南飛的年代〉、張為麒的〈孔雀東南飛年代袪疑〉、伍受真的〈論孔雀東南飛〉等等，如果人們按圖索驥，從各種期刊中，找到自己所需的資料，詳加研讀，自然可以拓展見聞，了解這一問題進展的程度，而不致於閉關自守，知己而不知彼了。

2、分析學人成就

檢索專科目錄，不僅可以了解到，在某一學科之內，有那些重要的作品和那些重要的學者，同時，還可以從一些專科目錄之中，了解到某些學者在學術研究上的歷程和成就，例如余秉權所編纂的《中國史學論文引得》，他的編製方式，和一般以學術論文性質為分類的方法，不太一樣，他是以論文的作者或譯者姓名筆畫作為編排敘次的標準，在作者譯者之下，將其所著譯的論文，依發表先後，加以排列，根據這種指引，我們可以了解到作者譯者在某些方面研究的成就，也可以了解其學術路向的轉變，像《中國史學論文引得》，在胡適之先生名下，列舉了〈許怡蓀傳〉、〈清代漢學家的科學方法〉、〈研究國故的方法〉、〈科學的古史家崔述〉、〈書院制史略〉、〈詞的起源〉、〈右史討論的讀後感〉、〈漢初儒道之爭〉、〈宋元學案補遺四十二卷本跋〉、〈論左傳之可信及其性質〉、〈建文遜國傳說的演變〉、〈壇經考之一──跋曹溪大師別傳〉、〈三年喪服的逐漸推行〉、〈銷釋真空寶卷跋〉、〈與周叔迦論牟子書〉、〈評柳詒徵中國文化史〉、〈校勘學方法論〉、〈說儒〉、〈葉天寥年譜〉、〈羅壯勇公年譜〉、〈記北宋本的六祖壇經〉、〈跋館藏王韜手稿七冊〉、〈元典章校補釋例序〉、〈顏李學派的程廷祚〉、

〈楞伽宗考〉、〈再談關漢卿的年代〉、〈顏習齋哲學及其與程朱陸王之異同〉、〈易林斷歸崔篆的判決書〉、〈趙一清的水經注的第一次寫定本〉、〈所謂全氏雙韮山房三世校本水經注〉、〈新校的敦煌寫本神會和尚遺著兩種〉、〈說史〉、〈注漢書的薛瓚〉、〈神會和尚語錄的第三個敦煌寫本南陽和尚答徵義：劉澄集〉、〈跋清代學人書札詩箋十二冊〉、〈從二千五百年前的弭兵會議說起〉等，一共是三十六篇學術論文，這些論文的出版時間，從民國八年到四十九年，從這些論文篇目之中，我們可以大致了解，胡適之先生在這四十一年之間的研究重點，興趣轉變，我們也可以藉此分析一下胡適之先生在學術研究上的成就，甚至，我們還可以從胡適之先生的那幾年「著述空白」中（民國三十年至三十七年），看出他在抗日軍興，轉任公職，為國宣勞方面的一些消息。

3、考察學術進展

　　從目錄中去辨章學術，考鏡源流，是目錄學上的一種理想，也是一種切實可行的辦法，例如《隋書・經籍志》的經部禮類之中，著錄了有關「喪服」的書籍共有五十種，一百二十六卷，加上亡佚的書籍二十三種，一百七十六卷，則共有書籍七十三種，三百零二卷，數量非常龐大，梁啓超就曾據此以為可以反映魏晉南北朝時代人們重視孝道的精神（見梁氏〈圖書大辭典簿錄之部〉），這種藉目錄以考察學術進展的情形，專科目錄的作用，尤其顯得重要，例如在饒宗頤的《楚辭書錄》和邱燮友的《選學考》中，我們很快就能系統地了解到歷代《楚辭》和《文選》方面的書籍論著，進而由那些書籍論著的提要中了解到該種學術的源流得失。

又如從羅聯添的《唐代文學論著集目》之中，我們檢出有關「韓愈」、「柳宗元」、「李白」、「杜甫」的論著部分，加以排比分析，則不僅可以了解到歷代學者們對於韓柳李杜所作的研究，而且，我們還可以從中比較一下三十年來，臺灣和大陸的學者們，對於韓柳李杜研究的進展，同時，也可以比較一下彼此在研究上的趨勢和方向；甚至，人們在不同的社會制度下，能否充分地享受學術自由的情形，也可從中窺見一斑。

4、比較研究方法

在王重民的《清代文集篇目分類索引》中，我們檢閱一下有關「莊子」的部分，可以看到諸如〈莊子跋〉、〈讀莊子書後〉、〈南華眞經跋〉、〈書校本莊子後〉、〈敦煌本莊子郭象注殘卷跋〉、〈莊子闕誤跋〉、〈莊子章義序〉、〈讀徐注莊子〉、〈南華眞經殘卷校記序〉、〈書先太史緩公手批莊子後〉等這一類的文章。

在馬森《莊子書錄》所附的〈民國以來莊子論文目錄〉之中，我們可以看到〈莊子大義〉、〈莊子哲學〉、〈藝術家的莊子〉、〈屈原莊周比較觀〉、〈莊子的形而上學的理論的根據〉、〈莊子天學論〉、〈莊子通論〉、〈逍遙遊向郭義及支遁義探源〉、〈誰是齊物論的作者〉、〈莊子內外篇分別之標準〉、〈莊子三十三篇本成立之時代〉、〈莊子向郭注異同考〉、〈郭象莊子注是否竊自向秀檢討〉這一類的論著。

在王重民《清代文集篇目分類索引》中，我們檢閱一下關於「荀子」的部分，可以看到諸如〈讀荀子〉、〈書荀子後〉、〈荀子跋〉、〈宋本荀子跋〉、〈讀謝校荀子〉、〈書荀子楊注後〉、〈荀子集

解序〉、〈書荀子性惡篇後〉、〈荀子引道經解〉、〈荀卿毛公兼傳穀梁春秋證〉等這一類的文章。

在阮廷焯《荀子書錄》所附的「民國以來荀學論文」之中，我們可以看到〈荀子名學發微〉、〈荀子人性的見解〉、〈荀子與霍布士〉、〈大學爲荀學說〉、〈荀子的認識論〉、〈荀子性論之新闡釋〉、〈荀子之經驗主義〉、〈荀子心理學說研究〉、〈荀子禮樂論發微〉、〈荀子的人本哲學〉這一類的論著。

比較一下清代與民國以來，學者們對於「莊子」與「荀子」的論文，我們自然便會發現，由於時代的進步，學者們研究的方法和態度，已經大不相同，從這種比較之中，我們可以尋找出學術研究的過往痕迹，也可能據以推測出學術探討的未來途徑。

5、啓迪寫作靈感

在專科目錄的檢閱之中，人們所看到的，不只是一些前人在學術園地上踏過的足印，也更是一些學者專家們心血的結晶，這些成果，在層層積累之下，把學術的研究，逐步推向智慧的高峰。讀者們檢閱目錄，在前人豐碩成果的環照之下，見賢思齊的心理，油然而生，也是很正常的情形，何況，人們也許還能從前人研究成果的臚列中，觸發一己的靈感，啓迪自身的興趣，因而尋找出研究的方向，選擇出值得探討的問題，加以研究，從而得到更好的成績，也未可知。

總之，專科目錄雖然只是一種刻板的工具，但是，運用之妙，存乎一心，只要善加利用，所能獲得的益處，也將是不可限量的。

四、專科目錄的編纂

編纂一個專科目錄，大約需有以下幾個原則和步驟：

1、確立凡例

凡例的確立，只是給目錄編纂的工作，定下一些遵循的標準，這些標準，包括題目範圍的大小程度，題目內容的時間年限，資料取材的來源根據，以及分類編目的原則規律等等。

例如馬森的《莊子書錄》，既然是《莊子》的「書錄」（實際上應該是「莊子書」的「錄」），則有關「老子」的論著，自然不宜闌入，而某些以「老莊」為名的資料，則不妨加以附入，這是關於題目範圍大小程度方面的標準。

又如胡厚宣的《五十年甲骨論著目》，所指的五十年，起於一八九九年，光緒二十五年，訖於一九四九年，民國三十八年，因此，該書的取材，只能收錄此五十年之間的論著，而不能漫無標準地在時間上超越此一上限與下限，這是關於題目內容時間年限方面的標準。

又如余秉權的《中國史學論文引得》，在書前「編輯說明」中，曾經說道：「本引得收錄論文，主要根據香港大學馮平山圖書館所藏期刊及縮影膠片，而旁及其他團體與香港大學中文系同事庋藏。」又在該書「本引得所收期刊一覽表」中，列舉了該「引得」所收期刊三百五十五種的名稱及卷數期數，這些，都是該「引得」在資料取材來源根據方面的標準。

又如余秉權的《中國史學論文引得》，此書的分類編次，與一

般的目錄索引以資料性質區分的方式不同，余氏在該書的「編輯說明」中，曾經說道：「著錄體例，每篇順次為作譯者，論文題目，期刊名稱，出版年月，頁號起訖及附註等項目。論文按作譯者編排，而以姓名筆畫多少據康熙字典字序定先後，每一作者，務行編號，以使翻檢，同一作者諸文，則以發表先後為序。」這就是該「引得」在分類編目原則規律方面的標準。

2、蒐集資料

　　凡例確立之後，標準已定，權衡在握，然後可以廣泛地去蒐集資料，專科目錄的精神，是希望能在一編之內，涓滴無遺，將有關資料，網羅殆盡，所以，在資料的蒐集上，專科目錄的目標，是求全求備，因此，目錄的編製者，在既定的「凡例」「標準」之內，應該是無權作出「以意取捨」、「任意廢書」、「自行裁斷有用無用」的行為。

　　資料的蒐集，最好的方式，自然是在圖書館中，親見其書，將各種書籍論著，逐一地依次檢覈，從容抄錄，製成卡片，以作分類編目的準備。但是，受到時間空間、人力資料的限制，想要在預期的時間之內，求全求備，將所有論著書籍，檢覈一過，勢不可能，加以每個圖書館的收藏，都有其一定的限制，即使編製者能專據一館，或者是轉益多館的收藏，所得的資料，也並不一定就能完備無缺，因此，從事目錄編纂工作，資料的轉錄引用，因前人已有的成果，踵事增華，後出轉精，也是在不得已時，比較可行的一種方式，只是，其所轉錄引用的資料，必須根據較為精確的目錄，如果再能稍加覈檢，抽樣核對，就更理想些。

3、分類編目

　　資料蒐集，無論是專冊著作，或是單篇論文，最好都用卡片逐一記載，各自作一獨立單位，加以著錄，著錄的次序，一般都依書名篇名、作者、出版書局、期刊名稱、卷期、出版年月等項，加以登錄，這樣，分類的時候，也自然便是以書籍或論文的性質作爲區分的標準。書籍分類，雖然可以有許多不同的標準，但是，仍然是以學術性質內容作爲區分的標準，最爲理想。

　　資料記錄成一張張的卡片之後，便可將眾多的卡片，根據學術性質的異同，分爲幾個大類，再從每一大類之中，逐漸地再細分爲一些小類。書籍（論文）的分類，原則上，應該根據性質的異同，加以歸類，自然地區分出一些類別，而不是編製者心中預定好規模，先區分類別，然後再將一張張的卡片，勉強地分配在各個類別之中，在專科目錄的編纂中，這種情形，尤爲重要，因爲，專科目錄，力求詳備，力求細密，在分類時，或許要視其資料的特殊情況，自出機杼，擬定類目，卻並不一定就有現成的「分類法」或「編目法」，可以依據。

4、別裁互著

　　清代章學誠，在他所著的《校讐通義》之中，提出了兩種整理圖書的方法，「互著」和「別裁」，這兩種方法，應用在目錄之中，都有很好的作用，尤其是「別裁」，在專科目錄之中，其應用的情形，更爲普遍。

　　有些書籍，包羅比較廣泛，性質比較複雜，置於此類固然可以，

置於他類也很適合，因此，在分類時，便將這種書籍，同時著錄於兩個類別之中，以便讀者在檢索不同類別時，都可以充分地利用到目錄中相關的資料，這就是「互著」的方法。

另外，有些書籍之中，只有一小部分篇章，性質與全書不同，為了讀者能夠充分地利用這少數的篇章，專科目錄的編製者，便特別將這些篇章提出，而登錄於與其性質相同的另一類別之中，這就是「別裁」的方法，專科目錄在蒐集資料時，欲涓滴無遺，更特別需要利用「別裁」的方法，像王重民的「老子考」、嚴靈峯的「老列莊三子知見書目」中，便都曾大量地應用到「別裁」的方法，去蒐集資料。

5、索引輔助

一般的目錄，多以書籍或論文的性質異同，作為分類的標準，根據性質異同作分類的目錄，本身就是一個很好的索引，讀者可以找其類別，按圖索驥，尋檢資料。有時，這種以性質異同分類的目錄，也會附上一個「作者索引」，將書籍或論文的作者，根據姓名的筆畫或拼音，列舉出來，作為檢索資料時的幫助。

另外，像余秉權的《中國史學論文引得》，是以論文的作者譯者作為敘次分別的標準，因此，在該書之末，便附加了一種「標題檢字輔助索引」，以便讀者可以根據某些專題或某些時代，檢索研究資料。該書之末，並且附有另外一種「卷期及年月輔助索引」，讀者也可以據之以檢尋某一期刊的各種論著，或某一年代，不同刊物的各種論文。

總之，專科目錄成書之後，為了充分發揮易檢易用的功能，多

具備幾種輔助索引，就如同字典多具備幾種檢字的方法一樣，自然是很需要的。

五、結 語

黃宗羲曾經說過：「學問之道，以各人自用得著者為眞。」（《明儒學案·凡例》）目錄之學，也不例外，目錄索引，雖然只是治學的工具，然而工欲善其事，必先利其器，因此，初學之人，甚或是成學之士，如果能各就本身研究的範圍，自行編纂一些專科的目錄，那麼，不但於己有用，也是一種造福他人的工作。

一九六九年（民國五十八年），南洋大學中文系設立榮譽學位制度，由三年制大學畢業生中，甄選出百分之二十左右的學生，選讀四門課程，撰寫論文一篇，考試及格，授予不同等級的榮譽學位，當時的課程中，有「中國目錄學」一科，由筆者擔任，課程的安排，上半年偏重目錄學的理論與源流，下半年偏重有關問題的研討。當時，榮譽班共有九位學生，筆者乃與彼等議定，各人編纂專科目錄一篇，作為下半年研討的資料，也作為修讀目錄學的課外作業，專科目錄的性質，則儘量與彼等各人撰寫的畢業論文相配合，俾收相輔相成的效果，當時編成的目錄，計有謝世涯的〈李後主詞書目〉、郭四海的〈納蘭詞書錄〉、廖元華的〈中國哲學思想史書目〉、楊金星的〈公孫龍子書錄〉、雲惟利的〈孫子書錄〉、連金水的〈近六十年文字學研究論文分類索引〉、李成貴的〈近六十年聲韻學研究論文分類索引〉、陳清水的〈近六十年語法學與修辭學研究論文分類索引〉、陳斯標的〈近六十年易經研究論文分類索引〉，這些

目錄，當時都曾加上「初稿」二字，油印成冊，也曾寄送某些圖書館收藏參考，這些目錄，對於編製者論文的撰寫，相信都曾有著或多或少的幫助，這是初學者編纂專科目錄的例子；至於學者專家們所編纂的專科目錄，對於學術研究的貢獻，自然更爲鉅大。

總之，當前的學術研究，分工已日趨專精，效率也益求迅速，在工具方面，各種專科目錄，也愈加需求迫切，就目錄學的發展而言，如果說，「專科目錄」的時代已經來臨，應該不算過甚其辭的說法。

——原載《書評書目》第94期（1981年2月），頁23—32。

專科目錄的編輯方法

林慶彰*

一、前言

　　臺灣學生書局所主辦的《書目季刊》，將出版三十周年紀念專號。他們以爲我以前編過數本專科目錄，透過陳仕華先生，要我寫一篇如何編輯專科目錄的文章。本來類似的論文，前輩學者胡楚生教授，在民國七十年二月所發表的〈專科目錄的利用與編纂〉（《書評書目》九十四期），所論已相當完備，我似乎可以不必再獻醜。但想到我和《書目季刊》在二十多年前就結緣，它要過三十歲生日，似乎也應該提出一篇與「書目」有關的文章，表達內心的敬意。祇好把這十多年來編輯專科目錄的經驗，略加歸納，湊成這篇文章。

　　所謂「專科目錄」，顧名思義，就是爲某一專門學科、專門人物，或專門問題所編輯的目錄。這種目錄，範圍可大到很大的學科，如中國文化史、哲學、文學；也可以小到爲一人物編一目錄，如歐

---

*　中央研究院中國文哲研究所研究員。

陽修研究書目、湯顯祖研究文獻目錄，也可以爲一小問題編一目錄，如婦女運動史論文目錄、五四運動書目等。就一個學術研究者來說，有人以爲自己並不想編輯出版一本龐大的專科目錄，有關這一方面的知識不足也沒有關係。其實，要作一個專門論題的研究，蒐集研究資料的過程，就是在爲那一論題編輯一份小型的專科目錄。可見編輯某一專科目錄，可視爲進入該研究論題的前奏。既如此，每一研究工作者怎可對專科目錄的編輯方法掉以輕心。

　　編輯專科目錄，自從漢代以來即有，班固《漢書·藝文志》中的〈六藝略〉、〈諸子略〉，就是經學和哲學的專科目錄。從六朝起，更有體例相當完備的佛經目錄。這些編目錄的傳統一直承繼下來，但爲適應新時代的需要，目錄收錄資料的範圍和體例等，也應隨時加以改變，以方便更多的讀者使用。譬如，以前的目錄往往僅收一兩種資料類型的條目，如「報紙論文索引」、「期刊論文索引」，但資料類型不限於報紙、期刊，還有專著、論文集、研究報告、學位論文等，如果不將這些類型的資料一起編入，讀者使用時，將會非常不方便。所以，晚近很多目錄，已不限於一兩種資料類型，目錄的名稱也改作「資料目錄」、「文獻目錄」。再者，以前的目錄，往往是專著和論文分開著錄，查專著要一本目錄，查論文又要另一本目錄。晚近所編的目錄，專著和論文條目大都已合爲一書編輯。由此可知，不同時代有不同的編輯方法和收錄資料的標準。專科目錄所以要時時編輯，除了資料更新的因素外，體例創新，收錄資料範圍擴大等，也是因素之一。因此，祇要是某一專門學科的研究者，又願意花時間去編一本專科目錄的話，隨時都有工作等待他去做。

　　以下正式討論專科目錄將如何編輯。

二、編輯前的準備工作

　　如有學者立志要編輯一部專科目錄，他在編輯之前必須有一段較長的時間來作準備工作。準備工作可分兩方面來討論：一是編者學識的培養，二是目錄編輯的前置作業。茲分項加以討論：

(一)　編者學識的培養

　　編輯一部完善的專科目錄，不是隨意就可以進行，最重要的是編者必須具備相當豐富的目錄學知識。不但對古代目錄的源流應有大體的了解，對現行各種目錄的出版狀況也應能確實的掌握，如有那些綜合目錄、專科目錄？這些目錄收錄資料的範圍，涵蓋時限、編輯體例如何？唯有具備這一方面的知識，將來在擬定編輯體例時，才能截長補短，編輯出一部體例完善、檢索方便的目錄。

　　要培養這一方面的知識，除了參考坊間各種中文參考用書指引外，更應隨時到圖書館，將各種目錄加以檢閱比對，了解各種目錄的優缺點。此外，既是編專科目錄，必須具備該學科的基本知識外，有那些相關的參考資料可資利用，也應有所了解。唯有時時刻刻，念茲在茲，才能充實相關的目錄學知識。目錄學知識越豐富的編者，他所編的目錄體例越完善，資料也較少闕漏。相反地，知識貧乏的編者，絕對編不出好目錄。

(二)　編輯的前置作業

1.確定收錄時限和資料類型

　　要編輯一部專科目錄，最先要確定的是收錄資料的時限有多

長，一般來說，綜合性的目錄涵蓋的學科相當多，收錄資料的時間都比較短。專科目錄因涵蓋的學科較少，收錄時限不妨長一點。至於從那一時段開始收集比較好，這要看各個學科的性質來定。有時要顯示某一時段的研究成果，如民國以來的研究成果如何，就可將開始的時間定為民國元年（一九一二）。至於資料截止的時間，應是越接近編輯工作的時間越好。如民國八十六年三月開始編輯，資料應收到民國八十五年才算完備。但有些海外的期刊，或出版延誤的學報，民國八十五年的，有些可能尚未到達，如將時限設的這麼接近，反而收錄不齊全。所以，不妨收錄到民國八十四年。

其次，是收錄資料的範圍，每一門學科大都有周邊相關的資料，在確定這些資料是否該收時，往往產生困擾。所以，考慮必須謹慎周詳，不然本來不收，做到一半又要收，前面已查過的資料就必須重新查一遍。如：編輯經學目錄時，讖緯和陰陽五行的資料要不要收？《逸周書》等同於《尚書》，《國語》等同於《左傳》，這兩種書的資料要不要收為附錄？編古典戲曲目錄時，現代各地的地方戲資料要不要收？這些都是要面對的問題。

再者，資料呈現的類型有很多，有以專著形態出現的；有刊於期刊、報紙的，有學位論文、會議論文、論文集論文、研究報告等，是否統統要收錄？或者僅取其中的幾個類型？

2.確定資料條目之體例

資料條目因刊載的資料類型不同，著錄的方式也不一樣，譬如期刊論文的著錄方式，可能是作者、篇名、期刊名、卷期、頁數、出版年月；報紙論文，可能是作者、篇名、報紙名、版次、出版年

月日。其他，論文集論文、會議論文、學位論文等的著錄方式都略
有不同。在編輯前都必須訂好著錄的體例。例如，條目中是否要著
錄論文的起訖頁碼，在編輯前就應確定，不能做了一半，再回過頭
來補。又出版時間，因各國的紀年方式非常不統一，如臺灣用民國
紀年，大陸用西元，日本用日本紀年，著錄時應加以統一。最好是
統一用西元紀年。

　3.編輯參考用書目錄

　　在進行蒐集資料之前，應有一份參考書的目錄，這份目錄至少
要包含三方面的資料：一是應利用的工具書目錄。既要編輯某一專
科目錄，在現有的工具書中有那些可以利用，應根據坊間的工具書
指引，及到各圖書館實際訪察所得，編成目錄。二是應抄錄的期刊
目錄。這要看專科目錄的性質來判斷那些是較常登載論文的期刊；
那些雖數量不多，但也要檢索；那些不會有相關的論文。然後將可
能刊載論文的期刊編成一份目錄，以作為檢查的依據。三是應抄錄
的論文集目錄。在現代的學術出版品中，論文集佔很大的份量，一
位專科目錄的編輯者，應利用圖書館的檢索系統，或到書庫中，實
際查出那些論文集刊有論文，再慢慢抄錄下來。如果事先沒有做這
種調查工作，很容易將重要的論文集遺漏。

三、如何蒐集資料

　　編輯一部專科目錄，如果前面所述的前置作業做得比較完善，
蒐集資料時，就按前置作業所訂的體例，該利用的資料目錄來收集

資料即可。這裏要提醒的是，如果有其他的編輯人員一起工作，在開始抄錄資料時，這一目錄的主編（負責人），應確實檢查編輯人員所抄錄的資料，體例是否合乎標準，有沒有錯字，以免將來重新覆按，增加麻煩。以下分項談談蒐集資料的方法。

（一） 利用前人既有之目錄

編輯一種目錄，不可能將一切資料從頭開始收集，一定要先利用前人的成果。前人的成果有一大部分都已收入各種目錄中。所以，就應利用前置作業時所編輯好的參考工具書目錄，一本一本的將資料錄下。要從現有的工具書抄錄資料時，應注意幾點：①資料收錄的年限如何？②資料涵蓋的地域如何？③資料涵蓋的類型如何？以便分析現行工具書資料不足的地方在那裏，再謀求補救。

工具書由於編輯的機構、編輯人的素養、編輯的目的不同，所以資料完備、準確的程度也相差很多，絕對不可以為利用了這些工具書，資料即已完備。應該要分析工具書之間的盲點，以便彌補不足，茲舉幾個例子加以說明：

1.如要收集近數十年出版的專著，可利用國家圖書館所編《中華民國出版圖書目錄彙編》。現已出版六輯。但這一目錄，也僅僅是出版社按出版法送繳的圖書和該館採購所得之圖書，所編輯而成的目錄，並非國內出版圖書的總目錄。如果以為利用這一目錄，專書的資料即很完備，那就錯了。必須利用其他圖書館之館藏，或其他目錄來補充不足。又如，要得知中國大陸出版的專著，一般都會檢查月刊本的《全國新書目》和年刊本的《全國總書目》，但這兩種書目，大概失收了五分之一左右的資料。這些失收的資料，必須

靠其他的資訊來補足。

2.如要收集民國元年至三十八年間的期刊論文資料，可利用國立北平圖書館索引組編的《國學論文索引》初編至四編，但這《索引》資料僅收到民國二十四年十二月。又可利用上海人文編輯所編的《人文月刊雜誌要目索引》，但僅收到民國二十六年十二月。又可利用陳碧如等編《文學論文索引》一至三編，但僅收到民國二十四年十二月。也可利用中國科學院編《中國史學論文索引》一、二編，但也僅是史學資料而已。可見，抗戰以後至民國三十八年間的資料，並沒有一部完善的索引可檢索。要補足這一部分資料的闕漏，祇好找出當時的雜誌，一本本檢查。

3.如要檢索日據時代的各種專著和論文資料，現有的目錄可利用的，僅中島利郎先生所編的《日據時期台灣文學雜誌總目·人名索引》，收文學雜誌十種；還有也是中島先生所編的《台灣時報總目錄》，收雜誌兩種。其他的雜誌、報紙，都還沒有完善的索引。要利用這一時段的資料，祇好找出雜誌、報紙逐一檢閱。

從上舉的例子，可以了解編好一部目錄，對前人已有的成果得失如何，也應確實掌握，以便彌補其不足。

(三) 補抄前人目錄所不足之資料

這一方面的資料，可分成下列幾點來談：

1.前代資料沒有適當目錄可利用者

如抗戰期間至民國三十八年間的資料，並沒有較理想的目錄可資利用，就必須將每一種雜誌，逐本加以檢索，錄下所需的資料。

另外，日據時代的資料，也沒有理想的目錄，也應一種一種加以檢查。

2.前代資料為現行目錄所失收者

編輯比較完善的目錄，書後大都附有收錄期刊、論文集的一覽表（目錄），可以從這一覽表看出收了那些期刊、那些論文集。檢查時，有失收的期刊或論文集，就可去補抄。論文集的專門目錄有楊國雄、黎樹添所編《現代論文集文史哲論文索引》，周迅、李凡、李小文所編《一五二二種學術論文集史學論文分類索引》可檢索，未收入這兩種目錄的論文集，還有不少。這是一位編輯者所應了解的。

3.現行資料尚未編入各種目錄者

目錄的編輯一定是在資料之後，所以現行的資料與目錄的時間差往往從數個月到數年之久。如今年是一九九七年，但京都大學人文科學研究所所編的《東洋學文獻類目》，一九九四年度的才剛剛出版。即使最快的《中華民國期刊論文索引》，也有數個月的時間差。因此，尚未編入各種目錄的資料就應補抄。

要補抄的期刊種類，可能多至數十百種，所以必須準備一種抄錄記錄單，上面列有刊名、出版者、創刊日期、刊期、卷期等，已抄錄過的，在卷期的空格上打勾，這圖書館未收藏的可以到別的圖書館補抄。這種記錄單不但可以確實掌握資料，將來也可作為編輯「收錄期刊目錄」的基本資料。

四、如何整理資料

蒐集來的各種資料，可以納入目錄盒，以便整理之用，會利用電腦的人，也可以逐筆輸入，電腦會按既定的程式來編排。這裏要談的整理方法，是指傳統手工的整理方法。

一般人以爲蒐集來的資料，按所訂的分類表加以分類即可。但是，因爲資料來自各種不同的目錄，不但有所重複，體例也不統一，所以在分類之前，必需統一各筆資料的體例，並將重複的資料剔除。如果缺乏這一步驟，不但資料條目會重複出現，體例也雜亂無章。坊間很多專科目錄，除了資料收錄不足外，最嚴重的毛病是體例凌亂不堪。要減少資料之重複，要體例一致，就應依照下列的步驟來整理資料。

(一) 專著資料的整理

蒐集來的資料條目，有專書也有論文，應分開加以整理。專著資料，最好按作者的姓氏筆畫來排列，同一筆畫的排在一起，同一作者的著作都納入該作者之下，同一作者的不同著作，應按書名筆畫之多寡來排列。同一著作有各種不同的版本，也應依出版時間先後排列。經過這像嚴密的排列，如果資料條目有誤，也都一一顯現出來，然後再將這些有問題的條目，用網路查證，或用其他工具書來作覆按。已整理過的資料，就準備分類時分入各類中。

(二) 論文資料的整理

論文的種類有很多，如期刊論文、報紙論文、論文集論文、學

位論文、會議論文等，整理方法略有不同，茲分項說明。

1.期刊論文的整理

首先，將期刊論文條目，按期刊名筆畫多寡加以排列，同一期刊的條目，按卷期先後加以排列。這樣編排有數點作用：(1)可以剔除重複的條目。(2)可以統一期刊的刊名，有些目錄將期刊名用簡稱，都必須回復爲全稱。又有些期刊有分版，如「哲學社會科學版」、「文學院之部」，各條目也應統一。(3)可以統一卷期的標示方法，大陸的期刊，卷期的標示法，大都是「一九ＸＸ年Ｘ期」，有些目錄改爲「Ｘ期，一九ＸＸ年」，這是不對的，應加以改正。有些刊物有卷期，也有總號，有的目錄用卷期，有的用總號，也必須統一。(4)可將出版日期的標示法統一，如要以西元年月日來標示，就必須將所有條目的標示法統一。在剔除重複，將資料統一的過程中，可以將各著錄項的資料互補，最後保留一張最完整的資料卡。按期刊名整理完畢後，應將所收錄之期刊名抄出，以便編輯附錄「收錄期刊目錄」之用。

其次，再按作者姓名筆畫多寡整理一次。這樣的編排也有數點作用：(1)可剔除前面按期刊名排列時，未剔除之條目。(2)可檢查作者姓名有否筆誤。(3)可將以本名或筆名的條目歸納在一起。並將本名和筆名逐筆加以記錄，以便編作者索引時歸納之用。

2.報紙論文的整理

一如期刊論文，先按報紙名的筆畫多寡排列，以便：(1)統一報紙之刊名。(2)統一版次的標示方法，有些目錄將版次著錄爲「中央

副刊」、「人間副刊」、「自由副刊」、「長河版」，有些則著錄
「ＸＸ版」，都必須加以統一，有資料不足者，必須補查。(3)統一
出版日期的標示方法。然後，一如期刊論文，再按作者姓名之筆畫
多寡編排一次，作用和期刊論文相同。

3.論文集論文的整理

按論文集名稱的筆畫多寡排列，其作用是：(1)統一論文集名稱。
有些目錄用簡稱的，都要回復到全稱。(2)檢查著錄項有否缺漏，著
錄項應有論文集的出版地、出版者、出版日期，如有缺漏，應加以
補足。(3)統一出版日期的標示方法。此外，應將論文集的書名、作
者、出版項另抄一份，以便編輯「引用論文集目錄」之用。將來，
整理資料時，論文集的論文除分散入各類外，如果要列出專門論文
集的各個篇目，也應重新製作一套完整的篇目，以便整理資料時，
納入相近的類目中。

4.學位論文的整理

應按博士論文、碩士論文分為兩大類。各類條目再按學校筆畫
之多寡排列。同一學校的條目再按研究所別排列。同一研究所的，
按年度先後排列。排列時應檢查：(1)學校名、研究所名有否統一。
有的條目有加「國立」、「私立」，也應統一。有些條目研究所名
不統一，如：有的用「中研所」，有的用「中文研究所」，有的用
全稱「中國文學研究所」，相當不一致，也要加以統一。(2)畢業年
份，有的用民國ＸＸ年，有的用學年度，有的用西元紀年，也應統
一。(3)有的有寫指導教授，有的沒有，應統一著錄。

5.會議論文的整理

應按會議名稱之筆畫多寡排列，以便檢查各條目中的資料：(1)會議名稱是否統一。(2)主辦單位名稱是否統一。(3)有否注明舉辦日期等。

五、資料的分類與編排

整理好的資料，進一步必須加以分類，在分類之前應先確定專著和論文，是要混合編排，還是分開編排。所謂分開編排，有兩種形式，一種是先將專著和論文分成兩大類，再各自分類編排，京都大學的《東洋學文獻類目》，即採用這種方式。另一種是在各類之下，將專著和論文分開編排。筆者認為為了讓同一類的資料作最緊密的排列，應該混合編排。

另外，還有一個問題，如果收集的資料包括各種不同的語文，如英文、法文、德文、日文、韓文等，也會涉及如何編排的問題。這些都必須先有一定的標準，以免妨礙分類工作的進行。以下談分類的方法。

(一) 按簡目將資料作粗分

在分類之前，應先擬一分類的簡目，如編輯一本經學目錄，可將簡目訂為群經總論、周易、尚書、詩經、三禮、三傳、四書、孝經、爾雅、石經、讖緯等類。編輯一位學者的研究目錄，可將簡目訂為生平、著述、思想、影響等，再依簡目，將資料作初步的分類。

(二) 依各類條目之內容作細分

作細分時，也可以先擬定分類細目，再將資料條目納入，但這種方式並不科學，因為在擬定分類細目時，並不知道有那些資料條目，如何能憑空訂出類目來。所以，較合理的方法是將資料條目逐條加以歸類。歸類時，內容不同的，不可同在一類。分類要分到不能再分為止。這樣，不同內容的條目，當然在不同的類。

分類時應注意的是：(1)同一類目的條目多至數十百條時，應再設法加以細分。(2)類目也不可太細，如細到每一小類僅有一兩個條目，則流於瑣碎，反而影響檢索。(3)有些論文條目僅有一兩條，很難自成一類，應合併入相近的類目中。

(三) 涵蓋兩類以上之條目應作互見

有些資料條目的內容涵蓋兩類，或兩類以上，為了讓讀者能更容易找到資料，應作互見。即再抄一張卡片，排入另一類之中。互見卡應在作最後編排時，統一來做，以免重複或漏做。

(四) 同類中之條目，應作合理之編排

同一小類中之條目，應有合理之編排標準。如按發表時間之先後編排；或按內容性質編排，標準一定，前後各類的編排方法就應一致，不可有同有異。

(五) 調整類目，越合理越好

細分好了以後，應檢查各個類目間的編排順序是否合理，如果不合理應加以調整。此外，各大類之下，有相同之類目，類目名也

應儘量一致，不可「概論」、「概述」、「通論」、「概說」等，交互使用。

(六) 將條目編上流水號

分類完成，各類條目也作最適當之調整後，就可以從第一張卡片起，打上流水號。流水號的號碼要用多少數字，視目錄條目多寡而定，九九九條以下的用三個數字，九九九九條以下的用四個數字。超過一萬條的，用五個數字。每一流水號最好僅單純的代表該條目就好，不必附加太多的意義。有些目錄，流水號之前加上各種符號，如「Ａ」代表專著，「Ｂ」代表論文。「１」代表先秦，「２」代表兩漢……，繁複得不得了，不但校對有困難，也徒增讀者之困擾。

六、附錄的編輯

一部好的目錄，書後大都附有各種不同附錄，筆者以前主編的專科目錄，大抵附有下列三種附錄：

(一) 引用工具書目錄

在前面提到，編輯目錄的前置過程中，可以編輯一份擬檢索參考的工具書目錄。這一目錄在編輯的過程中，隨時可以補充、修訂，最後的定稿，就可以作為附錄。何以需要此一目錄？一方面告訴讀者引用資料之來源，另方面也表示不掠前人之美的意思。

(二) 引用期刊、報紙目錄

在將資料按期刊名、報紙名編排的過程中，可抄出期刊名和報紙名，然後再利用各種期刊、報紙名錄，記下完整的創刊日期、刊期、出版地、出版者等，再按刊名之筆畫多寡加以編排而成。

(三) 引用論文集目錄

為了讓讀者很快就可找到他所需的論文集，並告訴讀者收入那些論文集，可以編輯此一目錄。編排時應按論文集名稱筆畫之多寡排列。每一論文集，應著錄書名、作者、出版地、出版者、出版年月。

當然，並非所有的目錄的附錄都應如此。每一編者都可以有他理想中的附錄。但附錄應以與本文密切相關的資料為主，不可附入不相關的資料。

七、索引的編輯

一部好的目錄，書後也應有各種輔助索引。中國大陸所編的專科目錄，數量相當多，但大多缺乏輔助索引，使用非常不便，常受垢病。目錄之後，應附有那些索引，學者的看法也有所不同，有的目錄既有標題索引，也有作者索引。筆者以為如果目錄本身的分類很完善，沒有標題索引也沒有關係，但作者索引則不可或缺。作者索引不但方便檢索某一作者論文的所在，也可以看出某一作者在此一領域中的成就如何。

編輯作者索引，傳統的方法是將卡片打散，按作者姓名筆畫之多寡加以排列。同一筆畫之作者，可用點、橫、直、撇之順序加以排列。此外，用筆名發表之資料條目是否歸入本名之下也應有規定。佚名的條目、僧侶作者的條目，也應有合理之安排。又有西文作者時，作者條目也應按西文之編排方法編排。

每一作者之後的流水號，也應按順序，由小而大，不可大小參差相混。因為是數目字，校對時應特別小心，有疑問時，應核對原稿，或核對原來之條目，以便確定條目和作者是否相合。

八、結　語

以上僅是將個人的編輯經驗略作陳述。學者如要編輯專科目錄，不論是用傳統方法編輯，或用電腦，上述的方法應有一些可參考的地方，但並不表示以上的方法就是盡善盡美。筆者以為編輯目錄是件吃力不討好的工作，不但很少能申請到補助經費，目錄成品也很難當作學術研究的成果。在這種環境和條件之下，也有不少學者從事專科目錄的編纂，如黃文吉教授主編的《詞學研究書目》兩大冊，林玫儀教授主編的《詞學論著總目》四大冊，都可說是專科目錄中的傑出成就。既然仍有學者願意投注心力編輯專科目錄，為能保證專科目錄之品質，指導編纂專科目錄之論著，也就有其需要，本文可說在這種需要之下的拋磚引玉之作，其中疏漏必多，懇請海內外先進朋友多賜予指教。

　　——原載《書目季刊》第30卷第4期（1997年3月），頁62—71。

關於專科目錄中「凡例」的一些思考

陳進益*

一、前 言

　　由於時代的需求以及發展，在整個中文的學術研究之中，目錄、索引一類的學問，一向爲學者所輕忽。大抵而言，一般認爲這些學問並不需要什麼樣的聰明才智，只要願意花時間去做，誰都可以做得成。而且在學術上，也不會因爲誰做了什麼樣的目錄編輯工作而獲得較高的學術評價。❶因此，編輯目錄索引便成爲一種吃力不討

＊　清雲技術學院講師、東吳大學中國文學系博士生。

❶　如林師慶彰在《日本研究經學論著目錄（1900－1992）》（臺北：中央研究院中國文哲研究所籌備處，1993年10月）中的〈自序〉說道：「編輯本目錄，就筆者個人來說，是種學術責任的完成。至於學術界是否認同編目錄者的學術貢獻，則又是另一回事，筆者本不會介意。」這段話中，林師雖然沒有直言學術界是否輕忽了編輯目錄者的學術貢獻，然而我們是可以從他的字裏行間讀到些許沒有說盡的味道。

好的工作。❷然而各種學科目錄編輯的完成，眞的不該受到學術界的重視嗎？試想，如果我們在從事某個論題的學術研究時，並沒有較好的專科目錄可供使用，那麼，我們又如何取得學術界在這個論題上的研究成果並加以利用呢？我們又如何得知我們目前手上所做的題目已被研究到什麼樣的程度了呢？凡此種種，都足以說明專科目錄的編輯，不但應在學術界上取得一定的地位與肯定，而且也是現代學術之所以能夠不斷進步的一個重大功臣。這雖與本文論題沒有直接的關連，卻仍有著在進入本文之前不得不說的必要。否則，如果連專科目錄的價值都沒有受到應有的肯定與重視的話，那麼本文討論的主題「凡例」，便沒有任何討論的價值了。因爲「凡例」是依附在專科目錄這個主體上的。因此，本文在討論的進路上，擬先對專科目錄的定義與價值、功用，加以簡單的說明；其次再論及本文主題「凡例」本身的內容、目的與功用，並對「凡例」的特質加以思考，試將「凡例」放入整個專科目錄之中加以思考，希望能藉此獲得對於「凡例」較全面而深入的評價，❸最後才對本文做一

---

❷　如林師慶彰在《乾嘉學術研究論著目錄（1900－1993）》（臺北：中央研究院中國文哲研究所籌備處，1995年5月）中的〈自序〉說道：「編輯目錄是件極艱辛且得不到讚賞的工作。」

❸　這裏的討論方式，是借用在西方有「科學歷史主義之父」之稱的蘭克（1795－1886）他一生治史的最高目標──普遍史（General history or Universal history）的實踐的模式。普遍史的特色在於探討個別事物時，不失其全體的面貌。它認爲僅有將史事放在整體的輪廓中，方能顯出事件的眞正意義。也就是說，我們如果想要對「凡例」有更深入而完整的討論與認知，則必須將「凡例」置於整個專科目錄之中去觀察，看看它在專科目錄中的功用是什麼？存在的意義是什麼？與其他的組成專科目錄的部分，如書名、序、本文及附錄

簡單的結語。

　　這裏還得加以強調的是：本文全以一個專科目錄的使用者的角度，來討論專科目錄的「凡例」。因此，我們在這裏所得到的結論，並不代表全面的意義。其最重要的價值，應在於提出了不同於編纂者角度的看法後，希望能夠對於日後的專科目錄的編纂，有著些許重新思考的作用。

二、專科目錄的定義及功用

　　我們在討論關於專科目錄中的「凡例」的問題之前，首先必須解決的是何謂專科目錄？也就是為專科目錄先下一個定義。也唯有先將「凡例」所附屬的主體——專科目錄的定義先弄清楚了之後，我們才有可能談論到這個附屬在專科目錄之中的「凡例」，其存在的價值及意義。因此，在討論本文的主題——「凡例」之前，我們必須對所謂的專科目錄下一個定義。

　　胡楚生先生在〈專科目錄的利用與編纂〉一文中說道：

　　　所謂專科目錄，是針對某些專門而自成系統的學科，所編

等等的關係又是如何的？只有將「凡例」放在整個專科目錄的結構中去做全面性的觀察，我們才可能對「凡例」得到較佳的認識。一如蘭克他們認為，只有將個別的歷史事件放在整個歷史的脈絡之中去觀察，我們才可能得到歷史真實的面貌，而此一個別的歷史事件的真正意義方可能被展現出來。其相關的說法可參見黃進興著：《歷史主義與歷史理論》（臺北：允晨文化實業公司，1999年11月初版4刷），頁56—65。

> 纂而成的目錄。此種目錄的編纂,主要是希望能將某一學
> 科有關的論著資料,在目錄之中,巨細靡遺,網羅殆盡,
> 以便使用的人們,一編在手,對於所需的資料,能夠達到
> 按圖索驥、檢索即得、省時省事的目的,從而了解過去,
> 策勵將來,在學術的研究上,取得更好的成績。❹

在這段文字中,胡先生已非常清楚的從範圍、目的及價值三方面去
對專科目錄做了一個簡單而有效的定義了。所謂專科目錄的編纂,
其範圍是:針對某些專門而自成系統的學科。也就是說,專科目錄
編纂的對象是已成系統或者是某些專門的學科。如林師慶彰所主編
的《經學研究論著目錄》或者陳麗桂先生所主編的《兩漢諸子研究
論著目錄》,其對象即分別是經學及兩漢諸子學這些已經自成一系
統的專門學科,而其目的則在於:希望能將某一學科有關的論著資
料,在目錄之中,巨細靡遺,網羅殆盡,以便使用的人們,一編在
手,對於所需的資料,能夠達到按圖索驥,檢索即得,省時省事的
目的。也就是說,編纂專科目錄的目的是為了讓學者在做學術研究
的時候,能夠因之而用最簡單而省時省力的方法,取得其所需的資
料。而編纂專科目錄的價值,則是可以藉著各種專科目錄的編纂完
成,得以了解過去,策勵將來,在學術的研究上,取得更好的成績。

　　因此,我們可以得知,專科目錄的編纂,不僅能夠使學者在做
學術研究時取得極大的方便,更可以促進學術研究的進展,且在取
得同樣或者更佳的學術成果的前題之下,節省學者個別學術研究的

---

❹　參見《書評書目》第94期(1981年2月),頁23。

時間。而我們更可以藉由對專科目錄所收集各種論題的篇目的質與量，去對當前學術界的研究狀況做一整體的理解，從而讓我們得知在各個專科之中，那些地方仍然需要加強，那些地方已被前人研究過了。凡此種種，都說明了專科目錄的編纂，對於學術的進展是有著積極的價值與意義的。❺

三、「凡例」的內容、功用、目的及其特質

（一）「凡例」的內容

我們在仔細的閱讀分析過數十種專科目錄的「凡例」寫作之後，發現所有的「凡例」，不論其名稱為何？❻其寫作的方式為何？❼

---

❺ 如胡楚生先生在〈專科目錄的利用與編纂〉一文中，也說專科目錄可為人們提供蒐集參考資料、分析學人成就、考察學術發展、比較研究方法、啓迪寫作靈感等五項服務。

❻ 有的專科目錄稱這種對於書本內容、範圍、分類、編排方式等的說明為「凡例」，如林師慶彰所主編的《經學研究論著目錄（1912－1987）》（臺北：漢學研究中心，1989年12月）；張錦郎先生等人所編的《中國文化研究論文目錄》（臺北：臺灣商務印書館，1981年12月）。有的稱之為「編例」，如林美容先生所主編的《台灣民間信仰研究書目・增訂版》（臺北：中央研究院民族學研究所，1997年3月）；劉還月先生所主編的《台灣客家關係書目與摘要》（南投：臺灣省文獻委員會，1998年10月）。有的稱之為「編輯體例」，如王雷泉先生所主編的《中國大陸宗教文章索引》（臺北：東初出版社，1995年10月）。凡此種種，不一而足。在本文中，為了行文的方便，對於凡是對所編之書的內容、範圍、分類、編排方式的說明的文章，一律以「凡例」稱之。

❼ 有的專科目錄的「凡例」寫的較長，較像文章。如張錦郎先生等人所編的《中

基本上，它們都有著一定的內容。其內容大致可分爲：編輯的範圍，材料的來源，以及分類的方法及方式三大部分。

1、在編輯的範圍上，又可分爲時間、空間及題材類型三個部分。

所謂時間的範圍，例如：林師慶彰所主編的《朱子學研究書目》的〈編輯說明〉中的第一條：

> 本書目收錄1900－1991年間，學者研究朱子學之相關論著。
> 1900年以前的部分日文條目，和1992年的部分中文條目，
> 也一併附入。❽

說明了這本專科目錄所收錄的資料，在時間年限上是自西元1900年起，到西元1991年爲止。而1992年的一些中文書目，以及1900年以前的一些日文書目也都有收入。因而使得使用這本專科目錄的人，可以很清楚的知道自己可以由此掌握那一段時間的資料。也可以由此得知自己還需要另外去找那些在這段時間以外的資料，而不致於在研究論題的相關資料上有太大太多的遺漏。又如陳麗桂先生所主編的《兩漢諸子研究論著目錄·凡例》中的第一條：

國文化研究論文目錄》、王雷泉先生所主編的《中國大陸宗教文章索引》及劉還月先生所主編的《台灣客家關係書目與摘要》；有的則較精簡，如林師慶彰所主編的《經學研究論著目錄（1912－1987）》、王振鵠先生所主編的《臺灣地區漢學論著選目彙編本（民國71－75）》（臺北：漢學研究中心，1987年6月）。不過不論內容的長短，他們都有一個共同的特徵，那就是：所有的「凡例」皆以一、二、三這種條目的方式呈現，讓讀者更便於閱讀。

❽ 臺北：文津出版社，1992年5月。

本目錄收錄民國元年（1912）迄民國八十五年（1996）間，
學者研究兩漢諸子之論著。1997年之論著亦儘量收錄。❾

我們便可以由此得知，這部專科目錄所收錄的資料年限為西元1912
年至西元1996年的全部資料，以及若干西元1997年的資料。如此一
來，對於使用這部目錄的人，在時間年限上便有著提醒的作用了。

所謂空間的範圍，如林師慶彰所主編的《朱子學研究書目》的
〈編輯說明〉中的第二條：

本書目旨在反映朱子學研究之總成績，兼含台灣、大陸、香
港、新加坡、韓國、日本、歐洲、美國等地之研究成果。❿

我們便可以由此知道，這部專科目錄所收的資料，在空間地域上包
含了台灣、大陸、香港、新加坡、韓國、日本、歐洲、美國這些國
家。又如陳麗桂先生所主編的《兩漢諸子研究論著目錄·凡例》中
的第二條：

本目錄所收錄資料，主要以兩岸三地學者之研究成果為主，
旁及國內所能收集到之日文、西文論著，間亦有美國哈佛
大學燕京圖書館、耶魯大學圖書館、加州大學柏克萊分校
東亞圖書館所收藏者。⓫

我們也可以由此而知道這部專科目錄主要所收錄的資料的空間範圍

---

❾　臺北：漢學研究中心，1998年4月。

❿　同註❽。

⓫　同註❾。

是那些，而不致於浪費不必要的時間在相同空間範圍的資料上。

　　所謂的題材類型的範圍，如陳麗桂先生所主編的《兩漢諸子研究論著目錄·凡例》中的第一條所說：

> ……包括：一、綜合性通論兩漢思想之論著；二、對兩漢子學重要課題；三、對兩漢子學相關典籍；四、對兩漢諸子及其子學論著；五、對兩漢子學發展有一定關係之學者。⑫

這裏將這部專科目錄所收錄的資料，在題材類型上又做了一個簡單的說明，意圖讓使用者可以在細節上，對這部目錄能有更深入的認知。

　　2、在材料的來源說明上，如林師慶彰所主編的《經學研究論著目錄（1912－1987）》中的〈凡例〉第四條中說道：

> 本目錄收錄專書（包括收於叢書中者）、期刊論文、報紙論文、論文集論文（包括自著、合著）、博碩士論文、國科會獎助論文等。⑬

這樣的說明，便可以讓使用者由此得知，在這部專科目錄之中所收錄的資料包含了那些來源，而可以達到清楚的讓學者知道那些地方的資料已被收入，不需再花時間去找尋；那些地方的資料仍未被收入，應再花時間去注意。

　　如果我們把上述的時間、空間、題材類型的範圍，以及此處所

---

⑫　同註❾。
⑬　臺北：漢學研究中心，1989年12月。

說的材料來源綜合在一起看，便可以清楚的在各個角度上，掌握住
一部專科目錄它所收錄的資料的所有範疇，而在使用的精確度與資
料的掌握度上，都可以有著事半功倍的效果。

　　3、分類的方法及方式，如王振鵠所主編的《臺灣地區漢學論
著選目彙編本》中的〈凡例〉第三、四、五、六條所說的：

> 　　3、本選目內容分類排列，每類中專書、論文混合排列。
> 論文集除單獨按書名筆畫排於本選目最後外，並將其中各
> 篇分析散入各類，但如屬舊作則不再分析。
> 　　4、每種（篇）論著可歸入一類以上者，即予重複歸類，以
> 便查檢。重複歸類之條目編號，在作者索引中列於括弧之
> 內。
> 　　5、期刊中分期刊載之論文，均予合併爲一條。……
> 　　6、學位論文已出版成書或全文發表者，合併列於一條。……❹

上引諸條，便是這部專科目錄的編者，對於自己這部書的分類方法
及方式上的說明。基本上，最重要的說明，便是這本專科目錄所採
的編纂法是以類爲主，而將專書及論文混編在一起，以便於研究者
的使用。又如林師慶彰所主編的《經學研究論著目錄（1912－1987）》
中的〈凡例〉第六條中說道：

> 本目錄所收之專書與論文，皆採混合排列。純經學之論文
> 集，除在該書下將全部篇目列出外，並將其中各篇分析散

---

❹　　臺北：漢學研究中心，1987年6月。

入各類。至於收有經學論文之一般性論文集，則逕將所收
篇目歸入各類。**⑮**

這裏則簡單的讓使用者知道，這部專科目錄所採的亦是專書與論文
混合編列的方式。而純經學論文集的論文與一般性的論文集中的經
學論文，則各有不同的收錄方式。總之，其主要意圖也在說明清楚
此書的編纂方式與方法，以便於讀者的使用。

除此之外，尚有對於目錄的內容登錄型式的說明，如王樹槐先
生等人所主編的《近代中國婦女史中文資料目錄》中〈凡例〉的第
三條所說的：

> 單筆條目的格式，索引號、書名或篇名、作者、出處、年
> 代、卷期頁數、出版者。**⑯**

下面並附有各類的例子。如期刊類、博碩士論文類、一般書籍類等
的登載說明，意圖讓使用者看此〈凡例〉，便可以知曉目錄內容各
種登錄型式所代表的意義。以及對於目錄中最後附錄的說明。

（二）「凡例」的目的及其功用

胡楚生先生在〈專科目錄的利用與編纂〉一文中，曾對「凡例」
有著這樣的說法，他說：

> 凡例的確立，只是給目錄編纂的工作，定下一些遵循的標

---

⑮ 同註**⑬**。

⑯ 臺北：中央研究院近代史研究所，1995年8月。

準。這些標準,包括題目範圍的大小程度,題目內容的時
間年限,資料取材的來源根據,以及分類編目的原則規律
等等。**⑰**

胡先生在這裏說明了「凡例」的寫作,其目的是爲了要給目錄編纂
的工作定下一些可供遵循的標準,使得編纂目錄的人,有一共同遵
循之準則,而不致於出現體例不一、內容混亂的狀況。而這些所謂
的標準,亦即是上文我們所說「凡例」寫作所包含的內容了。只是,
胡先生在這裏所講的確立「凡例」的目的,完全是站在一個編纂目
錄的工作者的角度上來說的。然而,如果我們單純的站在一個使用
者的角度來看「凡例」的話,那麼「凡例」對我們使用者而言,它
的目的及功用顯然就不是胡先生所說的,「只是給目錄編纂的工作,
定下一些遵循的標準」而已了。

　　站在使用者的角度 (也就是所謂後設的立場) 上來看「凡例」存在
的目的及其功用,我們以爲:「凡例」至少應對讀者有在讀過編者
的「凡例」之後,能夠更清楚的知道這部目錄的範圍限制及其所提
供的資料的最大有效範圍爲何,進而促使使用者能夠節省所有不必
要重複花費的時間,而將其精力能夠更爲集中的花在應該且必須花
的地方上,進而對更大程度的學術的總體進展產生更爲積極的作
用。否則,如果「凡例」存在目的,僅僅是爲了給編纂目錄者提供
一些編纂時的標準的話,那麼「凡例」應是只給編纂目錄的人看就
好了,根本無須出現在專科目錄的成品之中。就如同在編輯目錄之

---

⑰　同註**❹**。

時，編輯者們都會有一些自己所需的紙條、格式，如果照胡先生所說的，「凡例的功用僅在於給編者在編纂目錄時定下一些可供遵遁的標準」的話，那麼，依此而言，難道我們也該將這些瑣碎的編輯過程的事物置入成品之中嗎？因此，站在使用者的角度上，我們認為，除非我們可以賦予「凡例」更有效的、更大的價值與意義，否則「凡例」在專科目錄的成品之中，存在的價值就應當被取消了。

　　循上所言，我們可以知道，在「凡例」之中所出現的，對於編纂者而言，只是編纂時所須遵循的那些標準，對於我們使用者而言，都應當能夠產生讓我們能夠更為有效的使用這部目錄的功用的。例如題目的名稱、內容的時間年限、所收資料的地域範圍、類型說明，以及資料來源、分類原則等等，對於使用者來說，都可以讓使用者節省掉花費在同樣的資料尋找上的不必要的時間才是。

（三）「凡例」的特質

　　這裏討論的所謂「凡例」的特質，乃是指以「凡例」為一探討的完全主題，看它在整個專科目錄之中所扮演的角色及其必要性、獨立性如何。而分析的方法，則是將「凡例」這個探討的主題先視為一個子題，將它放在整個專科目錄之中，看看它與它所依存的專科目錄之間的關係，以及它與構成專科目錄這個成品的其他部分，包含：名稱、序言、目錄、內文主體，以及書後的附錄等等之間的相互關係如何，進而對「凡例」做出適當的評價。

1、專科目錄是一種再生性的創作，故需「凡例」加以說明。

　　首先，我們來思考一下關於「凡例」和專科目錄之間的關係究

竟是怎樣的一種狀況。承上節所言，「凡例」的功用，除了如胡楚生先生站在編纂者的角度上所說的，是爲了在目錄編纂時有一些可供遵循的標準之外；我們還可以站在後設的立場，使用者的角度上說，「凡例」是爲了說明書本的內容、範圍限制及其呈現的方式，使得使用者得以因之而知曉其自這部專科目錄所得知的資料的有限性，進而可以節省不必要的時間，而在學術的研究上得以有更多的時間去做更深入的思考與分析，進而促進學術得以有最大的發展。因此，我們可以簡單的說：「凡例」的存在，是爲了說明專科目錄的內容的。

在我們有了這樣的認識之後，便可以再進一步的追問：專科目錄爲何需要加以說明呢？爲什麼一般性的書籍並不需要有類似「凡例」這樣的說明呢？

那是因爲，一般的書籍其最大的特色是具有作者的原創性，也就是說它們是一種較爲單純的創作，是要藉以發表作者自身對某些事物的看法與見解。而專科目錄的寫作方式則不是原創性的，只是將既有的資料做最有效的、最完整的整理編輯。因此，我們只能夠視專科目錄爲一種再生性的創作，亦即是所謂的編輯。也就是因爲其寫作模式，是將他人的作品所在地加以格式化的重新分類，因此面對了來源各有不同，型式各有差異的資料，所以必須將這些資料做一重新的組合整理而予以規格化。也就是因爲專科目錄具有著與一般書籍不同的再生性特質，因此，編纂者便有了必須在內文之前，將其之所以編纂，如何編纂，編纂的範圍及規則加以說明的必要了。

2、「凡例」是附屬於專科目錄這個主體之中的子題。

當我們以普遍史❸的角度來觀察「凡例」在整個專科目錄中的角色時，我們發現其實「凡例」只是構成專科目錄這個主體中的一個子題，與其同時構成專科目錄這個主體的還有書名、序言、目錄、內文以及附錄這些部分。因此，「凡例」的角色其實是必須附屬在專科目錄這個主體時才有意義的。如果專科目錄這個主體一旦被取消時，那麼所謂的「凡例」將沒有任何的價值與意義了。❹也就是說，「凡例」的獨立的價值與意義是不存在的。這樣看來，專科目錄為主而「凡例」為輔的角色定位已經很清楚了。而「凡例」的最大價值，也應該是對專科目錄有著更為清晰的說明才是。也就是說，編纂專科目錄的人，為了怕使用者不能十分清楚而有效的使用其作品時，才必須撰寫「凡例」，對其書本的內容、範圍等加以說明。因此，我們便可以更進一步的說，如果一部專科目錄編得十分出色、十分完整時，也就是當主體十分完滿健全時，這個為了輔助說明主體而存在的「凡例」，是可以、也應當被取消的。目前專科目錄的編纂都有著「凡例」的存在，這並非不好。然而，照著我們前面的論述，其實我們可以將追求一部不需要「凡例」做為說明的專科目錄的編纂完成，當做是一個編纂專科目錄者的最高理想才是。一如林師慶彰在上課時所說的：「最好的目錄是不看凡例也可以使用的

---

❸　關於普遍史的說法請參見註3。

❹　這樣的觀點，就如同歷史主義者認為個別的歷史事件必須放在整個歷史的脈絡中去觀察，方能呈現出它的價值與意義是一樣的。相關的看法請參閱黃進興著《歷史主義與歷史理論》第三章〈歷史主義的發展過程〉。

目錄。」

3、取消「凡例」後的可能取代方式。

　　上文既然認為專科目錄中的「凡例」是可以被取消的，那麼，當我們真的將「凡例」取消時，「凡例」本身所具有的目的與功用是否可以同時為其他子題所取代，而不致於因為「凡例」的取消而消失？這是我們在討論取消「凡例」時所必須思考到的問題。也唯有解決了取消「凡例」，卻不必取消「凡例」的功用這個問題之後，「凡例」的取消方能有真正的可能性。

　　對於這個問題，我們可以從「凡例」所具有的功用上加以思考。第一，「凡例」具有告知使用者其資料範圍限制的功用。那麼，我們要如何在取消「凡例」之後，仍能讓專科目錄一樣可以提供使用者這種功用呢？我們認為，所謂時間與空間範圍的說明，是可以在專科目錄的書名上做一解決的。例如林師慶彰所主編的《經學研究論著目錄》，不論是初編、續編、三編，皆在書名中標示了時間上的限制。如此一來，讀者只需看了書名，便可以知道此書所收資料在時間上的限制，又何必再讀「凡例」呢？而如林師慶彰所主編的《日本研究經學論著目錄（1900－1992）》一書❷，則將此書在時間與空間的範圍限制都在書名中一併解解決了。這便是我們在取消了「凡例」之後，仍能讓讀者保有其功用的最好範例。

　　其次，關於資料來源及分類的方式這個問題。我們以為編者可以在其序言中加以說明，或者藉由目錄的排列呈現出來，而無須另

----

❷　臺北：中央研究院中國文哲研究所籌備處，1993年10月。

立一「凡例」。

　　最後，在內文的呈現方式上，只要我們在編纂內文時，不要為了要減少一些篇幅而用一些不需要的代號，如：「：」、「、」、「a、b、c」、「甲、乙、丙」等等代碼，而一律按照我們所引資料之卷期年月加以編排。那麼，使用者在一看內文便知去何處尋找資料的情況之下，又何須「凡例」的說明呢？因此，我們認為，一部不需要「凡例」說明的專科目錄的產生其實並不困難，只要我們在專科目錄的書名、序言、目錄及編輯方式上稍加注意，不僅可以取消「凡例」，更可以使得讀者在使用專科目錄時，省去先看「凡例」這一個手續，就能夠有效的使用這部專科目錄了。

四、結　語

　　經過了上面各節的討論之後，我們站在一個專科目錄的使用者的角度上，可以對於「凡例」有著以下的認識：

　　基本上，「凡例」的出現，本來是編纂專科目錄者在編纂之初，為了要避免造成不必要的混亂及體例不統一的問題，所提供給所有編纂人員的一個可供遵循的統一標準。然而在專科目錄成為作品而呈現在使用者的眼前時，「凡例」所代表的，便不只是提供給編纂者一個可供遵循的統一標準如此簡單的意義而已，它更有幫助編者說明專科目錄本身的範圍限制的作用，以使得讀者能夠更有效的掌握此部目錄的有效度及有限性，進而節省所有不必要多加重複花費的時間，而能夠花更多的精神與時間在研究的論題上，進一步的促成學術的進展。

　　然而在我們更進一步的將「凡例」放在整個專科目錄之中來分析觀察時，卻又發現「凡例」其實只是附屬於專科目錄這個主體之中的一個子題而已。它和書名、序言、目錄、內文以及附錄，共同組成了一部專科目錄。而在站在探討「凡例」對讀者所能提供的功用的角度上來觀察時，卻又發現了「凡例」所提供給讀者的功用，包含了具有告知使用者其資料範圍限制的功用，可以在專科目錄的書名上做解決的；而關於資料來源及分類方式的問題，編者是可以在其序言中加以說明，或者藉由目錄的排列呈現出來。最後，在內文的呈現方式上，只要我們在編纂內文時，一律按照我們所引資料之卷期年月加以編排，而不用一些無謂的代碼，那麼，「凡例」所提供給使用者的所有功用，便可以在「凡例」取消之後，仍然得以存在。因此，我們可以這麼說：

　　一部最好的專科目錄，應該是讀者不需閱讀「凡例」，也可以有效使用的書。

專科目錄「正文」編排相關問題探析

王清信*

一、前　言

　　編輯一部專科目錄，從編輯前的準備工作，到蒐集、整理資料的完成❶，接下來的工作，就是將整理好的資料，進一步加以分類。這種分類的工作，在傳統的目錄學中，有「種別」❷、「部目」❸、

---

❶　關於專科目錄編輯前的準備工作、蒐集資料、整理資料等詳細的情況，可參見林慶彰師撰：〈專科目錄的編輯方法〉，《書目季刊》第30卷第4期（1997年3月），頁63－68。
❷　〔漢〕班固撰，〔唐〕顏師古注，西北大學歷史系點校：《漢書·劉歆傳》：「歆乃集六藝群書，『種別』為《七略》。」（北京：中華書局，1987年12月），頁1967。
❸　〔唐〕魏徵、令狐德棻撰，汪紹楹等點校：《隋書·經籍志》：「其分『部』題『目』，頗有次序。」（北京：中華書局，1987年12月），頁907。

「類例」❹等名稱。後來「類例」成為目錄學上的專有名詞。在傳統的圖書編目中，首重「類例」，因為歷代圖書汗牛充棟，如果不加以分類，則無法見其學術系統，也無法儲藏檢點。〔宋〕鄭樵（1104－1162）即認為：

> 學之不專者，為書之不明也。書之不明者，為「類例」之不分也。有專門之書則有專門之學，有專門之學則有世守之能。人守其學，學守其書，書守其類，人有存殁而學不息，世有變故而書不亡。以今之書校古之書，百無一存，其故何哉？士卒之亡者，由部伍之法不明也；書籍之亡者，由「類例」之法不分也。「類例」分，則百家九流各有條理，雖亡而不能亡也。❺

鄭樵專門探討了分類編排的問題。他認為再多的圖書，都可以通過分類的方法，將其以性質分類編排而有條不紊地組織起來；並且認為分類的方法不僅是用來部伍圖書，更重要的是可以用來剖析學術源流。〔清〕章學誠（1738－1801）進一步肯定了鄭樵的觀點。他指出：

---

❹　《冊府元龜》，卷608，〈學校部·目錄序〉：「而學者斯勤，述者彌重，廣搜並購，既顯於好文，強學專門，頗惠於寡要。故前之達者，分其『類例』，使有條不紊，求者可以俯觀也。」（臺北：臺灣中華書局，1967年5月），頁7296。

❺　〔宋〕鄭樵撰，王樹民點校：《通志二十略》（北京：中華書局，1995年11月），〈校讎略·編次必謹類例論〉，頁1804。

校讎之義，蓋自劉向父子部次條別，將以辨章學術，考鏡源流，非深明於道術精微、群言得失之故者，不足與此。後世部次甲乙，紀錄經史者，代有其人，而求能推闡大義，條別學術異同，使人由委溯源，以想見於墳籍之初者，千百之中，不十一焉。鄭樵生千載而後，慨然有會於向、歆討論之旨，因取歷朝著錄，略其魚魯豕亥之細，而特以部次條別，疏通倫類，考其得失之故而為之校讎。蓋自石渠天祿以還，學者所未嘗窺見者也。❻

並且強調說：

古人著錄，不徒為甲乙部次計。如徒為甲乙部次計，則一掌故令史足矣，何用父子世業，閱年二紀，僅乃卒業乎？蓋部次流別，申明大道，敘列九流百氏之學，使之繩貫珠聯，無少缺逸，欲人即類求書，因書究學。❼

鄭、章二氏所提出的理論，是傳統目錄中以性質分類編排為方法的理論依據。❽隨著目錄專科化觀念的興起，現代專科目錄正文的編

---

❻ 〔清〕章學誠撰，葉瑛校注：《校讎通義》（與《文史通義校注》合刊）（臺北：里仁書局，1984年9月），卷1，〈敘〉，頁945。

❼ 同前註，〈互著第三〉，頁966。

❽ 以性質分類編排的方法，從早期的「六分法」、「七分法」、「四分法」，到西洋的圖書分類法傳入以後，對於孰優孰劣的爭論情形，可以說更加複雜。當時的圖書館學家紛紛創立新的分類法，如劉國鈞《中國圖書分類法》即以美國《杜威十進分類法》為基礎，但為適合中文資料的需要，劉氏增加有關中文圖書的類目，刪去其中不適用的部分，並將杜威分類法各大類的位置略加更動。臺灣目前各大圖書館中文圖書的分類法，主要是民國五十三年賴永祥根據劉氏分類法所修訂而成的。

排方法，還有根據專科目錄的特殊屬性，而有按作（譯）者❾、書名❿、時間⓫、地區⓬、版本⓭、音序⓮等方法來編排的，呈現出與傳統目錄不同的面貌。

　　本文首先介紹專科目錄中正文編排的方法，接著就編輯一部理想的專科目錄時，關於正文理想的編排方法與呈現方式的相關問題，做一初步的探討。

二、專科目錄中正文編排的方法

（一）類序法

　　所謂「類序法」，就是按資料的性質，將資料屬性相同的集中

---

❾　按作（譯）者編排者，例如：余秉權編輯的《中國史學論文引得》（香港：亞東學社，1963年12月）；《中國史學論文引得續編》（波士頓：哈佛大學哈佛燕京圖書館，1970年）。

❿　按書名編排者，例如：杜信孚編輯的《同書異名通檢》（臺北：華世出版社，1974年10月，翻印本）；該書後來由編者與王劍進行增訂，並將書名改爲：《同書異名匯錄》（南京：江蘇古籍出版社，2000年1月）。

⓫　按時間編排者，例如：王德毅編輯的《中國歷代名人年譜總目（增訂本）》（臺北：新文豐出版公司，1999年1月）；又如季維龍編輯的《胡適著譯繫年目錄》（合肥：安徽教育出版社，1995年8月）等皆是。

⓬　按地區編排者，例如：王德毅主編的《中華民國臺灣地區公藏方志目錄》（臺北：漢學研究中心，1985年3月）。

⓭　按版本編排者，例如：楊繩信編輯的《中國版刻綜錄》（西安：陝西人民出版社，1987年6月）。

⓮　按音序編排者，例如：車錫倫編輯的《中國寶卷總目》（臺北：中央研究院中國文哲研究所籌備處，1998年7月）。

在一起，以作爲編排序次的方法。「類序法」在專科目錄正文的編
排上，據筆者所見，可分爲「按性質分類編排」和「按時空概念編
排」兩種，茲分別說明如下：

1.按性質分類編排

按性質分類編排的目錄，編輯者將相關資料條目蒐集後，先擬
一個簡目，例如要編輯一部歐陽脩的研究目錄，可將這個簡目訂爲
生平、著述、思想、影響等項，再將這些資料條目逐條加以歸類，
自然就區分出一些類別。在此，要特別說明的是，編輯專科目錄時，
不一定有現成的類目表可以依據，而是要視資料的情況，自己斟酌
擬定類目。最後，若能將類目調整到最合理的情況，該類目對使用
者即是一個很好的指引。胡楚生先生說：

> 一般的目錄，多以書籍或論文的性質異同，作爲分類的標
> 準，根據性質異同作分類的目錄，本身就是一個很好的索
> 引，讀者可以據其類別，按圖索驥，尋檢資料。❺

按性質分類編排的目錄，編輯者主要是依據作 (譯) 者對自己著作
內容所下的題名爲標準。因爲題名是作者本身對著作內容的表述，
而作者在擬寫題名時，一般都是十分審愼的，以力求題名能正確表
達著作內容的主旨。所以，題名與內容的相符率很高。當然，由於
種種原因，題名在反映內容的充分程度方面，有一定的局限。因此，

---

❺ 胡楚生撰：〈專科目錄的利用與編纂〉，《書評書目》第94期（1981年2月），
頁31。

據此法編成的目錄，通常會附上一個「作者索引」，將專書或論文的作者，根據姓名的筆畫或拼音列舉出來，作爲檢索資料時的輔助。

2.按時空概念編排

這種編排方法，是按照事物發生、發展的時空順序進行編排。依照時間先後順序編排的方法，又稱「時序法」」，例如《胡適著譯繫年目錄》，便將胡適從一九〇六年至一九六二年爲止的著作逐年逐月加以編排，而不以資料的性質爲編排的依據。依照行政區域順序編排的方法，又稱「地序法」，例如《中華民國臺灣地區公藏方志目錄》，則由於方志的特殊體例，亦不以資料的性質爲編排的依據。

（二）字序法

所謂「字序法」，又稱「字順法」，它是按照漢字的形體結構或按字音排列漢字的方法。「字序法」在專科目錄的編輯中，據筆者所見，可分爲「形序法」與「音序法」兩種，茲分別說明如下：

1.形序法

在專科目錄中，採用「形序法」編排的，主要是按照筆畫多寡順序編排而成。將筆畫數相同的字排在一起，再按部首順序或筆順（點、橫、直、撇、捺）排列。例如《中國史學論文引得》，即以作（譯）者的首字筆畫順序編排。胡楚生先生說：

> 檢索專科目錄，不僅可以了解到，在某一學科之內，有那些重要的作品和那些重要的學者。同時，還可以從一些專

科目錄之中，了解到某些學者在學術研究上的歷程和成就，例如余秉權所編纂的《中國史學論文引得》，他的編製方式，和一般以學術論文性質爲分類的方法，不太一樣，他是以論文的作者或譯者姓名筆畫作爲編排敘次的標準，在作者譯者之下，將其所著譯的論文，依發表先後，加以排列，根據這種指引，我們可以了解到作者譯者在某些方面研究的成就，也可以了解其學術路向的轉變。❻

依據本目錄的性質，照理說應該是按性質分類來編排，但編輯者卻以作（譯）者的筆畫爲序，這種編輯方法便於「了解到作者譯者在某些方面研究的成就，也可以了解其學術路向的轉變」。在現行的專科目錄中，是較爲特殊的例子。

2.音序法

在專科目錄的編輯中，採用「音序法」編排的，主要有按照注音符號、漢語拼音、日文五十音等。按注音符號編排者，如《中國寶卷總目》；按漢語拼音編排者，如《中國現代史論文著作目錄索引》❼；按日文五十音編排者，如《宋代文集索引》❽。這種以「音

---

❻ 同前註，頁25。

❼ 蘇天琳主編：《中國現代史論文著作目錄索引（1949－1981）》（北京：北京大學出版社，1986年10月）。本目錄主要爲按性質分類編排而成，然其中「三、歷史人物研究」部分，卻以漢語拼音音序編排而成，造成全書體例的不一致；該書續編改由成漢昌等編輯：《中國現代史論文著作目錄索引（1982－1987）》（北京：北京大學出版社，1990年5月）。續編在全書體例上，仍根據初編而沒有改進。

❽ 〔日〕佐伯富編：《宋代文集索引》（京都：京都大學東洋史研究會，〔昭

序法」（上述以「形序法」編排的目錄亦同）編排的目錄，對編輯者而言
是較省事的，但對使用者而言，除非目錄後有多種「輔助索引」幫
助檢索，否則功用將大打折扣。

除了「類序法」、「字序法」外，還有一種正文編排的方法，
既非按「類序法」，亦非按「字序法」編排而成，例如《中國近代
期刊篇目匯錄》⑲、《中國現代文學期刊目錄匯編》⑳即以所收錄
期刊的創刊時間先後為序，將該期刊的目次原封不動地抄錄下來，
並未將期刊中的條目依性質異同加以分類處理；又例如《中國史學
論文索引（第三編）》㉑，為延續性的目錄，收錄時限為一九四九年
十月至一九七六年十二月，約有四萬餘條篇目，主要按性質分類編
排而成，但是只分類編排到一九六五年文化大革命以前，文革十年
間（1965年11月至1976年）的相關篇目，卻不依性質異同作分類編排，
僅按文章發表先後為序排列而成，編在該書的下冊。這種機械性的
編目方法，除了造成全書體例的不一致外，也將使該目錄的使用價
值大大的降低了。

和45年〕1970年3月）；（臺北：宗青圖書出版公司，1986年5月翻印本）。
另外，佐伯富編：《中國隨筆雜著索引》（京都：京都大學東洋史研究會，
〔昭和35年〕1960年6月）亦為採類似方法所編成。

⑲ 上海圖書館編：《中國近代期刊篇目匯錄（第1卷——第3卷）》（上海：上
海人民出版社，1965年12月—1984年3月）。

⑳ 唐沅等編：《中國現代文學期刊目錄匯編》（天津：天津人民出版社，1988
年9月）。

㉑ 中國社會科學院歷史研究所編：《中國史學論文索引（第三編）》（北京：
中華書局，1995年11月）。

三、專科目錄正文的理想編排方法

（一）根據目錄的性質，決定編排的方法

　　資料的編排，一般以性質作為分類的標準，最為常見。但是有些專科目錄由於本身的性質特殊，並不一定可以性質作為分類編排的依據，例如《中國歷代名人年譜總目》，由於正文皆為歷代人物的年譜，性質相同，當然無法以性質異同來分類，因此編輯者採用按譜主生卒年為順序來編排。又如《中國家譜綜合目錄》❷，編輯者採用以譜主的姓氏筆畫的多寡，作為編排的順序。又如《胡適著譯繫年目錄》，編輯者為反映胡適一生著述的情況，採取逐年逐月著錄胡適著作的編排方法。又如《中華民國臺灣地區公藏方志目錄》，編輯者以行政區域作為編排的方法。以上皆是根據目錄的特殊性質，而採取特殊的編輯方法。反之，若目錄的性質可按性質分類來編排，筆者認為應以性質分類來編排較為適當。例如《中國寶卷總目》，由於寶卷是宋、元以來民間宗教、信仰文化、農民戰爭、俗文學、民間語文等方面的重要文獻，內容豐富，應該以寶卷的內容特性作為分類依據，而不是以寶卷名稱首字的注音符號順序來編排。又如《宋代文集索引》，由於編輯者為日本人，故將文集篇目按日文五十音順序排列，完全不顧篇目的內容，這對想要查檢宋代文集內容的使用者而言，基本上作用並不大，如果能像《清代文集分類篇目索引》、《四庫全書文集分類篇目索引》等目錄，按性質

---

❷　中國社會科學院歷史所圖書館等編：《中國家譜綜合目錄》（北京：中華書局，1997年9月）。

分類來編排的話，對使用者而言，相信是更有幫助的。㉓

（二）根據蒐集的資料，決定類目的編排

如果專科目錄的性質，需要按性質分類來編排，在資料蒐集整理後，接下來就是將資料條目予以分類。一般而言，是沒有現成的類目表可以使用的。因此，原則上應該是根據資料的性質異同，加以歸類，而不是編輯者事先設定類目表，再將資料分配到各個類目之中。因為專科目錄的編輯，和一般圖書館的圖書編目不同，往往沒有圖書館學中的圖書分類法 (表) 可以借用。專科目錄在分類時，要視資料的特殊情況，加以歸類。林慶彰師認為：

> 作細分時，也可以先擬定分類細目，再將資料條目納入，但這種方式並不科學，因為在擬定分類細目時，並不知道有那些資料條目，如何能憑空訂出類目來。所以，較合理的方法是將資料條目逐條加以歸類。歸類時，內容不同的，不可同在一類。分類要分到不能再分為止。這樣，不同內容的條目，當然在不同的類。㉔

㉓ 王重民編輯的《清代文集篇目分類索引》（臺北：台聯國風出版社，1979年12月，翻印本）按文集篇目性質分類，計分為「學術文」、「傳記文」、「雜文」三大部分，雖然所收文集僅四百二十八種（另又收入總集十二種）；然此種編輯文集篇目分類目錄的方法，為此後編輯相關目錄者所取法。例如中華文化復興運動推行委員會四庫全書索引編纂小組主編（昌彼得師任總編輯）的《四庫全書文集篇目分類索引》（臺北：臺灣商務印書館，1989年1月－3月）即是。

㉔ 同註❶，頁68－69。

分類時應該注意同一類目的條目多至數十百條時，應再設法加以細分，但類目也不宜分得太細，如果細到每一小類只有一、二條資料，則流於瑣碎。有些條目僅有一、二條，很難自成一類，此時就應併入相近的類目中，或者列入「其他」類中。

　　筆者認為，類目編排的合理與否，關係著檢索的效率，以《中外六朝文學研究文獻目錄》而言❷，編輯者似乎以性質分類為編排的方法，但全書分為「六朝總論」、「晉」、「宋」、「齊」、「梁」、「陳」、「隋」七大類，每大類僅再分為「一般文學」、「詩歌」、「文章」、「小說」、「文學批評和理論」、「人物傳記」、「思想」、「歷史社會及其他」，最後再按「論文」、「著作」發表的時間順序分開著錄的方式呈現。以這部專科目錄來說，這種類目表，太過於簡略。而且，同一類中的條目，並沒有作合理的編排（僅按論著發表的時間先後排列），例如若要檢索陶淵明的相關資料，則晉代（若要求資料的完整性，則「六朝總論」部分，也應一併檢索）的「一般文學」、「詩歌」、「文章」、「人物傳記」、「思想」、「歷史社會及其他」等類目，使用者需將「論文」、「著作」兩類的著錄從頭到尾檢尋，既不科學，也沒效率。

（三）根據編排的方法，佐以輔助的索引

　　一部理想的專科目錄，不論正文是用何種方法編排，書後大多附上一種以上的「輔助索引」。讀者可以利用這些「輔助索引」來

<hr>

❷　洪順隆主編：《中外六朝文學研究文獻目錄》（臺北：文津出版社，1987年9月）；（臺北：漢學研究中心，1992年6月增訂版）。

協助檢索，以避免資料的遺漏。例如：按性質分類編排的目錄，如果要檢索某位學者有多少論著成果，就得從第一頁逐條檢索，但如果有作者索引，就可根據作者索引的指示，很快查到所需的資料。大部分以性質分類編排的目錄，基本上書後多附有「作者索引」。其中也有較特別的例子，例如《一五二二種學術論文集史學論文分類索引》❷，書後附有「書名索引」、「人名索引」，但這兩種索引，和一般所理解的以「字序法」編排的目錄書後所附的書名、人名索引是不同的，這裡的「書名索引」，指「收錄見於正文所收論文篇名的，或雖未見於論文篇名而構成該論文主要主題的書名」；而「人名索引」，則指「收錄見於正文所收論文篇名的，或雖未見於論文篇名，而構成該論文主要主題的人名」，其性質正是所謂的「標題索引」或「關鍵字索引」，編輯者如此命名，將容易引起使用者的誤解，是較不恰當的作法。又如《現代論文集文史哲論文索引》❷，除了「著者譯者索引」、「標題索引」外，尚有「根據中國歷史朝代先後而排列，以便從事朝代研究者據此可檢索該朝代之各類有關資料」的「年代索引」，和「根據世界各地區排列，以便從事地域研究者據此可檢索該地區之各類有關資料」的「地域索引」。以上二書，正文是按性質分類編排而成，用類目表查不到，或怕有所遺漏的，可再用「輔助索引」查一次，可使資料更加完整。

---

❷ 周迅等編：《一五二二種學術論文集史學論文分類索引》（北京：書目文獻出版社，1990年2月）。

❷ 楊國雄、黎樹添編：《現代論文集文史哲論文索引》（香港：香港大學亞洲研究中心，1979年）。

相反的，以「字序法」編排而成的目錄，要檢索某一主題的相關資料，照理說，如果沒有「標題索引」，則需從頭到尾逐條檢索。以此法編排的目錄，書後附「輔助索引」較著名的例子，是余秉權所編的《中國史學論文引得》，該書所收資料條目是按作（譯）者姓名筆畫排列，書後附兩種「輔助索引」，一是「卷期及年月輔助索引」，這一索引以期刊為單位，將各卷期的出版年月按順序編排，並列出所收該期刊論文條目的頁數；另一個是「標題檢字輔助索引」，可藉由關鍵字檢索到所需的資料。❷⑧

（四）互著與別裁

　　為了充分發揮資料的作用，使讀者能夠「即類求書，因書究學」，我國古代目錄學家創造並運用了「互著」和「別裁」的方法。〔明〕祁承爜（約1565－1628）在〈庚申整書略例〉一文中，總結了整理圖書的四種方法：「因」、「益」、「通」、「互」。祁氏所提出的「通」和「互」的方法❷⑨，即是後來由章學誠發揚光大的「別裁」

---

❷⑧　余秉權編輯的《中國史學論文引得》共有《正、續》編，《正編》根據香港大學馮平山圖書館所藏期刊及縮影膠片編輯而成，收錄時限為一九〇二至一九六二年，香港亞東學社於一九六三年十二月出版；《續編》則收錄歐美地區所見中文期刊的文史哲論文，收錄時限為一九〇五至一九六四年，哈佛燕京圖書館於一九七〇年出版。其中附有「輔助索引」者，不知何故？僅見於《正編》中，對於欲利用《續編》的研究者而言，其實用性將受侷限，殊為可惜。

❷⑨　〔明〕祁承爜：「『通』者，流通於四部之內也。……如歐陽公之〈易童子問〉、王荊公之〈卦名解〉、曾南豐之〈洪範傳〉，皆有別本，而今僅見於文集之中。惟各摘其目，列之本類，使窮經者知所考求，此皆因少以會多者

與「互著」兩種編排方法。❸

　　章學誠在目錄學上的突出成就之一，主要是深入研究並大力提倡在分類編排時採用「互著」、「別裁」二例。「互著」與「別裁」這兩個術語，也是章氏首先提出和使用的。在《校讎通義》卷一中，有〈互著〉、〈別裁〉兩篇專門闡述了二者的重要意義。關於「互著」，章學誠談到：

> 至理有互通，書有兩用者，未嘗不兼收並載，初不以重複為嫌，其於甲乙部次之下，但加互注，以便稽檢而已。古人最重家學，敘列一家之書，凡有涉此一家之學者，無不

也。……凡若此類，今皆悉為分離，特明註原在某集之內，以便檢閱，是亦收藏家一捷法也。」祁氏所謂的「通」，實際上就是裁篇別出，也就是「別裁」。又：「『互』者，互見於四部之中也。作者既非一途，立言亦多旁及。有以一時之著述，而倏爾談經，倏爾論政。有以一人之成書，而或以摭古，或以徵今，將安所取衷乎？故同一書也，而於此則為本類，於彼亦為應收。同一類也，收其半於前，有不得不歸其半於後。如《皇明詔制》，制書也，國史之內，固不可遺，而詔制之中，亦所應入。……故往往有一書而彼此互見者，有同集而名類各分者，正為此也。」祁氏所謂的「互」，實際上就是「互著」。引文見昌彼得師編輯：《中國目錄學資料選輯》（臺北：文史哲出版社，1999年3月），頁465－470。

❸ 昌彼得師認為：「章氏創立『互著』與『別裁』兩種編目方法，但推本於原無其例的《七略》，支吾飾辯，而於祁承爜及他所編的《澹生堂書目》曾無一語道及，怎能不令人懷疑他有掠前賢之美的企圖。然而這兩種編目法，雖然發明於祁承爜，但祁氏所用的『通』、『互』二名辭，不及章學誠氏改用的『別裁』與『互著』來得明晰，可以望文而知義，也不能不推許章氏改進的功績。」引文見昌氏撰：〈互著與別裁〉，《版本目錄學論叢（二）》（臺北：學海出版社，1977年8月），頁71。

窮源至委，竟別其流，所謂著作之標準，群言之折衷也。
如避重複而不載，則一書本有兩用而僅登一錄，於本書之
體，既有所不全；一家本有是書而缺而不載，於一家之學，
亦有所不備矣。**㉛**

章氏認爲採用「互著」法主要目的是便於讀者考鏡源流，所以他說：
「部次群書，標目之下，亦不可使其類有所缺闕，故詳略互載，使
後人溯家學者，可以求之無弗得，以是爲著錄之義而已。」（頁968）
他還特別強調：「書之易混者，非重複互注之法，無以免後學之牴
牾；書之相資者，非重複互注之法，無以究古人之源委。」（頁968）
「書之易混者」，是指與兩類以上相關的書，如「經部《易》家與
子部之五行陰陽家相出入，樂家與集部之樂府、子部之藝術相出
入」。（頁967）「書之相資者」，是指可以利用的異類之書，如「《爾
雅》與《本草》之書相資爲用，地理與兵家之書相資爲用」。（頁
968）採用「互著」法，這些書確可充分發揮它們應有的作用。

關於「別裁」，章學誠說：

《管子》，道家之言也，劉歆裁其〈弟子職〉篇入小學；
七十子所記百三十一篇，《禮經》所部也，劉歆裁其〈三
朝記〉篇入《論語》。蓋古人著書，有採取成說、襲用故
事者。如〈弟子職〉必非管子自撰，〈月令〉必非呂不韋
自撰，皆所謂採取成說也。其所採之書，別有本旨，或歷
時已久，不知所出；又或所著之篇，於全書之內，自爲一

㉛ 同註**❻**，卷1，〈互著第三〉，頁966。

類者；並得裁其篇章，補苴部次，別出門類，以辨著述源
流；至其全書，篇次具存，無所更易，隸於本類，亦自兩
不相妨。蓋權於賓主重輕之間，知其無庸互見者，而始有
裁篇別出之法耳。㉜

「互著」、「別裁」都是在分類編排著錄中，遇到「理有互通、
書有兩用」的情況時，在兩個或兩個以上的類目中「兼收並載」。
不同的地方在於「互著」的兼收並載，是把專書和論文著錄在兩個
或兩個以上的類目中；「別裁」的兼收並載，則是把專書著錄在某
一主類中，而把專書中與他類可以「互通」或「兩用」的部分，裁
篇別出，著錄在相關的類目中。

附帶一提的是，關於學位論文的著錄方式，不管是將其視為專
書或論文，據筆者所見，目前似乎僅利用到「互著」的編排方法。
然而，現在有相當多的學位論文，後來都正式出版，甚至有的出版
社是有計畫的出版一系列的學位論文，例如（臺北）文津出版社的
「英彥叢刊」、（北京）中國社會科學出版社的「中國社會科學博
士論文文庫」等，這裏造成的問題是，一本學位論文，若有正式出
版，則勢必被當成專書來著錄，而當編輯者採取「別裁」的編目方
法時，就會產生著錄不一致的情形。換句話說，一本學位論文，若
沒有正式出版，將無法利用到「別裁」的編目方法。其實學位論文
各章、節的份量，遠較一般單篇論文的份量為多，若能裁篇（章、
節）而出，相信對研究者而言，將能提供更多的資訊。

㉜　同註❻，卷1，〈別裁第四〉，頁972。

四、專科目錄正文的呈現方式

決定一種編排方法，將所蒐集到的資料條目依序編排後，最後呈現在使用者面前的正文，主要有下列項目：流水號（索引號）、文獻題名、作（譯）者、出版項（出版地、出版者、出版日期）、頁數等，這些資料主要以固定欄位式和非固定欄位式兩種方式呈現出來。又收錄資料的類型與範圍，有收錄專書和論文、中文和外文的不同；而整個正文的著錄情形，每個編輯者呈現出來的面貌往往是不同的，茲分別說明如下：

（一）欄位式與非固定欄位式

所謂的欄位式，即將流水號（索引號）、文獻題名、作（譯）者、出版項（出版地、出版者、出版日期）、頁數等資料，著錄在固定的欄位上，例如《中國史學論文索引》、《中國史學論文引得》、《中文報紙文史哲論文索引》㉝、《全國博碩士論文分類目錄》㉞、《現代論文集文史哲論文索引》、《中國文化研究論文目錄》㉟等；非固定欄位式，則將上述資料，依據編輯者所規定的體例，逐一的著錄來呈現，例如《臺灣地區漢學論著選目彙編本》㊱、《經學研究

㉝ 張錦郎師編：《中文報紙文史哲論文索引（1936－1971）》（臺北：正中書局，1973年11月、1974年3月）。

㉞ 王茉莉、林玉泉編：《全國博碩士論文分類目錄》（臺北：天一出版社，1977年7月）。

㉟ 中華文化復興運動推行委員會主編：《中國文化研究論文目錄》（臺北：臺灣商務印書館，1982年12月—1990年11月）。

㊱ 漢學研究資料及服務中心編：《臺灣地區漢學論著選目彙編本（民國71－75、76－80）》（臺北：漢學研究資料及服務中心，1987年6月、1992年6月）。

論著目錄（1912－1987）》、《經學研究論著目錄（1988－1992）》、
《詞學研究書目》❸、《兩漢諸子研究論著目錄》❸等。前者的呈
現方式，雖然看起來眉目清楚，但仔細分析，這種呈現方式似乎僅
適用於該目錄僅收錄單一資料類型——單篇論文（例如報紙、期刊、
學位、論文集等）；若收錄資料的類型包含二種以上，此種方式則顯
得不適用了。例如《近代中國婦女史中文資料目錄》❸，由於該目
錄收錄專書、學位論文、期刊論文三種資料類型，而在專書的「出
處」、「卷期」，學位論文的「卷期」、「出版者」，期刊論文的
「出版者」等欄位，皆為空白，形成一種版面的浪費。又如「作者」
欄，編輯者雖預留四個字大小的欄位，但有些論著有作者與譯者的
情形（又有的作者並非個人而是團體，如「北京大學中國文學史教研室選注」等），
如「羅斯福夫人著，陳維姜、劉良模譯」（頁3）即佔了四行，不僅
造成版面的浪費，似乎也達不到欄位式依「表格式排列，以資醒目」
的目的。因此，隨著專科目錄收錄資料類型的增加，欄位式的呈現
方式也勢將慢慢的淘汰了。❹

---

❸ 黃文吉先生主編：《詞學研究書目（1912－1992）》（臺北：文津出版社，1993
年4月）。

❸ 陳麗桂主編：《兩漢諸子研究論著目錄（1912－1996）》（臺北：漢學研究
中心，1998年4月）。

❸ 王樹槐等編：《近代中國婦女史中文資料目錄》（臺北：中央研究院近代史
研究所，1995年8月）。

❹ 舉例來說，若該目錄所收錄的資料包括報紙論文、期刊論文、學位論文、專
書等類型，則除了「流水號」、「文獻題名」、「作譯者」、「出版地」、
「出版者」、「頁數」等最基本的欄位外，為了達到欄位式採用格式化「以
資醒目」的目的，勢必需再加上「報紙名」、「版次」、「畢業院所」、「指
導教授」等欄位。況且，即使僅收錄單一資料類型，採用欄位式編成的目錄
往往已經使用省略符號了，如何能容納下新的欄位，其偏限性可想而知。

非欄位式除了「流水號」在固定欄位上外，其餘依據編輯者的
體例著錄。筆者認為《經學研究論著目錄（1988－1992）》的呈現
方式是可以取法的。例如：

　　00001　　呂思勉　論讀經之法
　　　　　　　論學集林　頁210-220　上海　上海教育出
　　　　　　　版社　1987年12月

這種呈現方式將每一條目的「流水號」、「作譯者」、「文獻題名」
依序著錄在首行上❹，其餘的著錄項依編輯體例逐一從次行呈現，
兼有醒目、實用（較不受侷限）的優點。

（二）專書、論文的呈現方式

　　現代的專科目錄，收錄資料的類型，已不限於一、二種資料，
目錄的名稱，也從以往的「期刊論文索引」、「報紙論文索引」，
根據收錄資料類型的增加而改為「論著目錄」、「文獻目錄」。所
以現代所編的專科目錄，大多將專書和論文的資料一起收錄，並可
分為兩種方式，一種是混合編排，例如《經學研究論著目錄》，另
一種是分開編排。所謂分開編排，又可分為兩種形式，其一是將專
書和論文分成兩大類，再各自分類編排，例如《東洋學文獻類目》、

---

❹　筆者認為，非固定欄位式在首行呈現的三項資料，以「流水號」、「作譯者」、
　　「文獻題名」較以「流水號」、「文獻題名」、「作譯者」為序呈現為佳。
　　因為「作譯者」通常在四個字以內，如此呈現，除了實用外，更能兼具醒目
　　的目的。例如鄭阿財、朱鳳玉編：《敦煌學研究論著目錄（1908－1986、1908
　　－1997）》（臺北：漢學研究中心，1987年4月、2000年4月）。初版與增訂
　　版的差別，除了收錄時限的延長外，在正文的呈現上，亦有所改進。

《中國歷史地理學論著索引（1900－1980）》❷。其二是在各類目之下，將專書和論文分開編排，例如《唐代文學論著集目》❸、《中外六朝文學研究文獻目錄》、《中國文學論著集目正、續編》❹等。相較而言，筆者認爲將專書、論文混合編排的方式，集中反映資料的效果較分開編排爲佳。不過，不論採何種方式，最重要的是體例要統一，不可正文前後編排方式有些混亂，例如《百年甲骨學論著目》❺，全書主要以混合編排的方式呈現，但在分類表第四項「甲骨研究」的「文字」部分，編輯者突然將專著與論文分開編排，或許編輯者有其獨特的用意，但是這樣的作法卻破壞了全書體例的一致性。

（三）中文、外文的呈現方式

如前所述，現代專科目錄收錄資料的類型較以往廣泛，同樣的，收錄資料的範圍也從以往只收中文資料擴展到外文資料的收錄。關於中文和外文資料的呈現方式，主要有混合編排及分開編排兩種方式。前者如《朱子學研究書目》❻，後者如《中國文學論著集目正、

❷ 杜瑜、朱玲玲編：《中國歷史地理學論著索引（1900－1980）》（北京：書目文獻出版社，1986年4月）。

❸ 羅聯添編、王國良師補編：《唐代文學論著集目》（臺北：臺灣學生書局，1984年11月）。

❹ 王國良師等編：《中國文學論著集目正、續編》（臺北：五南圖書出版公司，1996年7月、1997年12月）。

❺ 宋鎮豪主編：《百年甲骨學論著目》（北京：語文出版社，1999年7月）。

❻ 林慶彰師主編：《朱子學研究書目（1900－1991）》（臺北：文津出版社，1992年5月）。

續編》。

另有一種情況是將資料以地域區分開來，例如《孔子研究論文著作目錄（1949－1986）》**⑰**，雖然收錄的資料條目同屬中文範圍，卻分為「中國大陸部分」與「臺灣香港部分」，或許編輯者希望能呈現兩岸三地學者對孔子研究成果的異同，但這對使用者而言，只會增加翻檢上的困擾。

（四）正文著錄的情形

決定一種編排的方法之後，在正文的呈現方式來說，有的專科目錄為節省篇幅，常有很多省略符號，造成「凡例」多達十數頁，相當煩瑣。對這些省略情況如果不了解，查檢資料往往會出錯或遺漏。如《中國文化研究論文目錄》的資料條目，便將期刊、論文集以省稱的方式處理，如果不利用書後的「一覽表」回復原名，到圖書館就很難查到資料。又如《現代論文集文史哲論文索引》，在正文中將所收錄的論文集以編號的形式呈現，同樣必須利用書前的「論文集編號一覽表」回復原名。又如《中華民國期刊論文索引》的資料條目，將有轉頁的期刊論文以「＋」號表示，使用者如果不知道該符號表示轉頁，影印該論文時，即會漏印轉頁的部分。又如《全國博碩士論文分類目錄》，在「畢業院所」一欄下，如果連續幾筆資料皆為同校者，則使用「〃」來表示。以上種種情況對一般使用者來說，或許只要耐心地前後翻檢，就可找到完整的資料。然而在

---

⑰ 中國社會科學院哲學研究所資料室編：《孔子研究論文著作目錄（1949－1986）》（濟南：齊魯書社，1987年5月）。

正文中使用省略符號，除了造成前後翻檢之苦外，還有一些目錄由於使用省略符號，在使用者找到所需條目後，尚需根據省略符號的「指引」來檢索其他目錄，才能得到該條目的完整資料。例如《詩經學書目》❹的著錄情形是這樣的：

427　朱子詩序舊説序錄　潘重規　H

若僅根據該條目所提供的訊息，使用者是無法找到資料的。必須再利用該目錄的「所用英文代號代表之書名」，查到「H」所代表的是《近二十年文史哲論文分類索引》，使用者必須再檢索《近二十年文史哲論文分類索引》一書，才知道該文刊於《新亞書院學術年刊》第九期（1967年9月，頁1─22）。經過層層的檢尋，最後才找到該論文的完整著錄項。

　　總之，專科目錄正文所呈現的應是以便利使用者爲優先考量，若其中再使用一些省略的符號，平添使用者前後翻檢之苦，這對凡事講求效率的現代人而言，專科目錄的功用將大打折扣。就長遠的眼光看來，當這些目錄日後成爲追溯性的目錄時，對於往後的編輯者而言，卻造成極大的困擾。❹正文除了使用省略符號外，以下筆

---

❹　該書並未正式出版，筆者所見者，爲林慶彰師所藏的影印本。

❹　編輯目錄最正確的方法，應該是確實到圖書館逐一檢索，將所需資料抄錄成卡片。然而對於某些罕見的資料（例如民國時期的期刊），或者限於各圖書館藏書有限，編輯者對於某些資料無法寓目，爲求收錄的完整性，編輯者往往會利用到現成的相關目錄。但是這些現成的目錄，若再使用省略符號，當日後整理卡片汰除重複時，假使該條目是僅有的一條時，編輯者面對的困擾，想必是沒有親身從事過編輯工作者難以體會的吧！

者就正文的著錄情形，針對其中有待商榷的地方，舉例並說明如下：

1.流水號

「流水號」又稱為「索引號」、「編號」、「代號」。「流水號」的多寡，一般視收錄資料的條目數量而定。每一「流水號」通常代表的是該資料條目在目錄中的編次⑩，但是卻呈現出各種不同的方式，例如《中外六朝文學研究文獻目錄》的「索引號」有六位，第一位阿拉伯數字代表朝代，第二位阿拉伯數字代表論文種類，第三位是論文與專書的區別（E代表論文、B代表專書），後面三位阿拉伯數字代表論著發表的先後順序。例如：

　　00 E 001　　三國六朝的平民文學　胡適　國語月刊　1：2
　　　　　　　1922.3

「00 E 001」所代表的意義是「六朝總論」（第一個0）中「一般文學」類（第二個0）的論文資料（E），末三位（001）代表發表時間先後的順序。編輯者希望使用者「可據每篇論著上之首位號碼，查悉所屬朝代；據次位號碼，查閱文類；據第三位以下號碼，斷知其出版先後」（凡例）。其實只要根據該條目所屬的類目，即可知道相關訊息。編輯者如此處理，若目錄後附有相關「輔助索引」，不僅校對困難，也徒增使用者的困擾。⑪

---

⑩　余秉權所編輯的《中國史學論文引得》，其中「流水號」代表的並非論文編號，而是作者編號。

⑪　類似的例子，還有王雷泉編：《中國大陸宗教文章索引》（臺北：東初出版社，1995年10月）；黃士旂編：《臺灣族群研究目錄（1945－1999）》（臺北：捷幼出版社，2000年3月）。

2.文獻題名

「文獻題名」包括（報紙、期刊、論文集）論文篇名、專著書名等等。在正文的著錄上，有些目錄對於一些「文獻題名」常有附加註釋或案語的情形。例如《中國史學論文索引》：

前清一代中國思想界之蛻變② 梁啓超 改造 3：3-5 1920：11-1921：1

該頁下註②爲：「按此篇即《清代學術概論》，後由商務印書館出版。」又如《中國文化研究論文目錄》：

108173 世界最古的文化三典（詩三百篇、梨俱吠陀、荷馬史詩） 吳敏之 新時代 6：12 17-20 55.12

案語爲：「詩三百篇、梨俱吠陀、荷馬史詩。」上述二例，編輯者除了將條目歸在適當的類目之下外，還提供使用者更多的訊息。不同的地方在於：前者使用當頁註，後者則使用隨文（「文獻題名」）註的形式。筆者認爲，若「文獻題名」本身晦澀不彰，或需加以說明者，爲便利使用者，編輯者可以加「註釋」或「案語」來說明，但必須與原來的「文獻題名」區別開來。

3.頁數

在現行的專科目錄中，關於「頁數」的著錄，有些編輯者認爲並非是必要的。或許他們認爲「頁數」的有無，與找到該條資料之間，並沒有任何的關係。這是比較粗淺的看法，余秉權認爲：

論文索引大多不標論文「頁號」，故後來者可因前人之工
作而轉錄。如一九五七年及一九五八年科學出版社出版之
《中國史學論文索引》上下二冊，部分係據一九二九年以
後北平圖書館所出版《國學論文索引》一至五編鈔錄；……
本《引得》編者以爲標記論文「頁號」之起訖，有助於衡
量論文之參考價值，故並著錄「頁號」。是以在編訂時須
逐一自原刊物查考，未能取得轉錄之便利。（「編輯說明」第
六條）

余氏正確的觀念、嚴謹的態度，足爲後人取法，並應推廣到其他資
料類型的著錄上。而關於專書「頁數」的著錄情形，筆者認爲「輔
文」的著錄情形，目前是較爲人所忽略的。所謂的「輔文」，林穗
芳認爲：

書籍的「輔文」指一本書中幫助讀者理解和利用正文內容的
材料，以及印在書上向讀者（包括購買者、利用者、書店、圖書館、
資料室、科研和情報單位等）提供的有關本書的各種信息。❺

這裡和專科目錄中正文著錄有關的，主要是指「書中幫助讀者理解
和利用正文內容的材料」，例如「序言」、「前言」、「導論」、
「目次」等等，一般而言，上述「輔文」的「頁數」是另行起訖的。
編輯者面對此種情形，該如何取決呢？例如《經學研究論著目錄
（1912－1987）》：

---

❺　林穗芳撰：〈談談書籍輔文〉，《編輯學刊》1988年第3期（1988年8月），
　　頁56。關於「輔文」的觀念，承張錦郎師提示。

08030　汪　中斟補　詩經朱傳斟補

　　　　　臺北　臺灣學生書局　143頁　1964年8
　　　　　月；臺北　蘭臺書局　390頁　1979年1月

而《朱子學研究書目 (1900－1991)》則著錄：

0370　汪　中　詩經朱傳斟補

　　　　　臺北　臺灣學生書局　2,143頁　1964年8
　　　　　月；臺北　蘭臺書局　390頁　1979年1月

前者除了「斟」字顯係「斠」字之訛外，在「頁數」著錄上，並未
註明「輔文」的「頁數」，經查核後知道「2」爲該書「前言」的
「頁數」。基於「輔文」的重要性 (有的「輔文」頁數多達數十頁)，
筆者認爲在目錄正文中似應詳細著錄，並與正文「頁數」有所區別。

　4.出處

　　一篇 (本) 有一定的水平甚至代表性的學術論著，往往有「轉
載」、「再版」甚至「盜版翻印」的情形，也造成了「出處」不僅
一處的問題。編輯者面對此類資料時，最好鉅細靡遺的呈現在正文
上。例如《經學研究論著目錄 (1912－1987)》：

04643　高亨　詩經引論

　　　　　文史哲　1956年5期　頁7-17　1956年5月
　　　　　詩經研究論文集　頁1-29　北京　人民文學
　　　　　出版社　1959年2月
　　　　　文史述林　頁162-190　北京　中華書局　1980

年12月

詩經學論叢　頁1-33　臺北　嵩高書社　1985
年6月

編輯者如此呈現，除了顯示該論文的重要性之外，還提供了使用者
欲取得該論文更多的選擇性、便利性。然而大部分的目錄，「出處」
往往並不十分齊全，原因或許是編輯者為了節省目錄的篇幅而沒有
深刻的體認，但最根本的原因在於：很多目錄的編輯方法是「轉錄」
現成的目錄而成，若所據以「轉錄」的目錄「出處」不全，而編輯
者又沒有進行增補的工作，所編輯的目錄「出處」，當然也不會齊
全。

五、結　語

　　專科目錄的正文編排，就編排的方法而言，可以按性質分類、
時空概念、筆畫、拼音等等方法來編排，按何種方法編排，並無絕
對的標準，主要依據專科目錄的性質來決定。一般而言，資料的屬
性可以按性質分類來編排的，則必須以性質分類來編排，並應將類
目調整到最合理的狀態，更需善用「互著」、「別裁」的編目方法；
而屬性特別的，可以作譯者、時間為序等比較機械式的方法來編排。
不可否認的，每種編排方法皆有其優點與不足處，似乎很難有一種
編排方法是十全十美的。隨著編排方法的不同，書後的「輔助索引」
能否達到相輔相成的效果，與整部目錄的成就關係密切。

　　就呈現的方式而言，除了採取實用的「非固定欄位式」之外，

對於資料的類型與範圍，則以混合編排的方式較佳。編輯者也應有
長遠的眼光，不要爲了一時的方便，使用一些省略的符號，或「轉
錄」現成的目錄，必須在著錄上求文獻的完整性。

專科目錄「附錄」的檢討

葉純芳＊

一、前 言

　　一部目錄的構成，大約由序言、凡例（或編輯說明）、目錄正文、
索引、附錄等幾個項目所組成。「序言」多由編輯者所撰寫，內容
大都敘述編輯動機、過程，或敘述學術源流；也有請該專科學術地
位高的學者撰寫，如地理學名家譚其驤爲《中國歷史地理學論著索
引》作序，其中對編者的努力多所肯定，也對目錄不足的地方提出
建議。「凡例」（或編輯說明）主要說明目錄收錄的範圍、資料的來
源、分類的方法及著錄的方式。「目錄正文」，是一部目錄的核心，
一般常見的正文編排法有按類別、作者或筆畫多寡編排的方式。「索
引」是編輯者爲使用者提供的另一種檢索方式，較常見的有書名索
引、著者索引。「附錄」是附於正文之後，輔助讀者了解此主題的
資料。有些目錄中的附錄，不僅將有助使用者了解此主題的相關資

＊　東吳大學中國文學系博士生。

料附於書後，亦有編輯者附上編輯過程中所利用的資料，而隨著該種目錄性質的不同，附錄會有所改變。

在目錄的組成分子中，其他各項目大概都有一個固定的模式，唯有「附錄」一項，擁有多變的面貌，它可以是目錄，可以是表格，也可以是文章。因此，本文擬以目錄中的「附錄」為題，討論目錄中「附錄」的內容、功用，進而探討一個好的「附錄」應具備的條件。

由於目錄的種類繁多，本文以文、史、哲科系較常使用的「專科目錄」為討論範圍。關於「專科目錄」的定義，林慶彰師在〈專科目錄的編輯方法〉中說：

> 所謂「專科目錄」，顧名思義，就是為某一專門學科、專門人物，或專門問題所編輯的目錄。這種目錄，範圍可大到很大的學科，如中國文化史、哲學、文學；也可以小到為一人物編一目錄，如歐陽修研究書目、湯顯祖研究文獻目錄，也可以為一小問題編一目錄，如婦女運動史論文目錄、五四運動書目等。❶

也就是說，編輯者在編目錄之初，必須先將所收錄內容的範圍規劃出來，超出這個範圍的條目一概不收，以形成一個專為研究某個固定主題的目錄，就是「專科目錄」。

---

❶ 林慶彰：〈專科目錄的編輯方法〉，《書目季刊》第30卷第4期(1997年3月)，頁62。

二、附錄的內容

在談到附錄的內容之前,我們必須先明確地了解什麼是「附錄」?大陸學者許建業從文獻學研究的角度,收錄了十種較具代表性的意義❷,雖然他是以辭書為考量對象,但我們可以從這些定義

---

❷ 這十種定義分別是:

一、美國圖書館協會(ALA)編輯出版《圖書館與情報科學詞匯》的定義:附錄是書面著作的補足部分,但並非正文完整性所必須的內容,他包括參考書目、統計圖表及其他解釋性材料等。

二、英國出版《哈羅德圖書館員詞典》(第5版)的定義:附錄是位於圖書館正文後面的材料。包括篇幅過長的腳注類材料、統計表格,或因正文內無法安置的某些條目。從其信息屬性看,其更適於放在正文末。

三、美國麥克米倫出版社出版《麥克米倫當代詞典》的定義:附錄是指補充圖書內容的附加性材料或片段。

四、英國出版《朗曼當代英語詞典》的定義:附錄是位於圖書、報告等出版物的最後面的那部分材料,通常給出的是附加信息。

五、美國出版《ALA圖書情報學辭典》的定義:附錄是指精要的附加資料,它雖不及圖書補遺性材料那樣豐廣,但就正文的書目項完整性而言是必要的,而且常附在書末。

六、中國大陸出版《辭海》(1989年版)的定義:附錄是指附印在圖書正文之後的有關文章、文件、圖表、索引、資料等,便於讀者查考,或有助於讀者理解正文。

七、中國大陸出版《漢英俄圖書館學、信息學詞典》的定義:附錄是指圖書雜誌正文以外的部分,如書名頁、序、跋、題字、肖像、目次、凡例等。一般不印頁碼或單獨標頁碼。

八、中國大陸出版《詞典學概論》的定義:附錄是詞典裡除正文、序言、凡例等以外附加進來的一些參考資料或參考圖表,實際上是詞典內容的某種延伸。一些未收入正文但估計讀者可能常查的常識性材料,都可以此形式列入到詞典中來。

九、中國大陸出版《專科詞典學》的定義:附錄是(辭書)附屬成分中的一

中，推尋出目錄中「附錄」的一般定義。從這十條對附錄的定義歸
納起來，我們可以對目錄中的「附錄」做如下的定義：附錄是指附
印在目錄正文以外的相關文章、文件、圖表、索引、資料、肖像等，
以幫助讀者查索或理解目錄正文，通常置於書末。

　　附錄的範圍既已定，接著要將附錄的內容按屬性分類，每個專
科目錄的「附錄」，都會依其科目、範圍而有所不同。專科目錄所
收的條目皆為專書或單篇的論文，因此，書後應該要附有「引用工
具書目錄」、「引用期刊報紙目錄」、「引用論文集目錄」等項目，
不論是哪一類的專科目錄，項目名稱都不會改變，因此，筆者將此
類附錄稱為「常態性附錄」；其餘隨著專科目錄性質不同而改變的
附錄，則稱之為「非常態性附錄」。這些非常態性的附錄，有些目
錄會很明確地在目次內將其歸之於附錄中，但有些則散見於書前、
書中、書後，考量其性質與「附錄」相同，因此亦視其為「附錄」。

　　另有一些目錄將「索引」歸屬於「附錄」之下，根據林穗芳〈談
談書籍輔文〉，對「附錄」與「索引」有以下的看法：

　　　　附錄是與正文有關係，但直接寫入正文又不合適的材料，
　　　　這些材料具有獨立存在的價值，對正文內容起補充或參考

種，通常指以附錄為標題列出的附在正文之後的材料。有時也包括不以附錄
為標題列出而置於正文之前的材料。
十、中國大陸出版《辭書編纂學概論》的定義：附錄是辭書的附屬部分，常
置於正文之後，它不同於作為辭書正文從屬部分的序、跋、凡例、檢字法、
索引、使用說明等。它對正文具有指南作用外，一般並不直接服務於正文，
其範圍甚廣，但並非辭書不可或缺的部分。（見許建業：〈關於辭書附錄的
若干研究〉，《高校圖書館工作》1995年第1期，頁28－29。）

作用。附錄的種類繁多，因書而異。但要注意不能把附錄的範圍搞的過寬，把正文後面的各種輔文全部當成附錄。

索引是爲查閱正文內容而編制的，所列項目都是正文有的，不給正文附加什麼材料，因而不能看作附錄。❸

由於「附錄」與「索引」的性質的確有所不同，本文並不將「索引」歸屬於「附錄」項下討論。

目前可見的文史哲專科目錄非常多，無法一一提出討論，爲使讀者方便閱讀，以下製成表格，排列五〇個專科目錄中附錄的種類。這五〇個目錄，又可粗分爲文獻學❹、經學與哲學、史學與考古學、

---

❸ 林穗芳：〈談談書籍輔文〉。又，「輔文」一詞對許多人仍感陌生，林穗芳在文中對「輔文」做了以下的定義：「任何一本書都由正文和輔文組成。正文是主體，輔文處於從屬地位。兩者的關係雖然是主從關係，但又互相依存的。沒有輔文，就無所謂正文，也就沒有書。書籍的輔文指一本書中幫助讀者理解和利用正文內容的材料，以及印在書上向讀者（包括購買者、利用者、書店、圖書館、資料室、科研和情報單位等）提供的有關本書的各種信息。輔文的種類很多，按位置來劃分，有文前的（前言），有文後的（後記），有文上的（書眉標題），有文中的（夾注），有文下的（腳注），有文旁的（旁題）。按功能可分三大類，即識別性輔文（書名、作者名、出版社名、出版時間、開本、篇幅、定價、內容介紹）、說明和參考性輔文（編輯說明、出版說明、凡例、序言、後記、注釋、附錄、參考書目、勘誤表）、檢索性輔文（目錄、索引、書眉）。」見《編輯學刊》1988年第3期（1988年8月），頁28—29。輔文的觀念承張錦郎師提示，在此申謝。

❹ 在「文獻學」類收錄了古籍善本書目，根據張錦郎師所編的《中文參考用書指引》(臺北：文史哲出版社，1983年)將善本書目歸於「特種書目」，而不歸於「專科書目」，但就專科書目的定義來說，善本書目亦有其範圍限制，如《香港中文大學圖書館古籍善本書錄》，即以清乾隆六十年(1795)爲下限的刻本、稿本、抄本爲收錄範圍。本文將其視爲廣義的專科書目，一併討論。

文學、人物、社會學、綜合等項，目的是在文、史、哲的範圍中，選取較具特色的附錄，以方便探討附錄的內涵。在表格之下，再以文字分項說明之。由於學識所限，所舉各例或有不當，僅供參考，祈博雅君子，予以指教。

【說　明】

1. 以下目錄分爲文獻學、經學與哲學、史學與考古學、文學、人物、社會學、綜合等類，列舉較具特色的「附錄」。
2. 各類目錄排列以出版年先後爲序。
3. 下表首列專科目錄名稱，目錄後的數字爲出版年。部分目錄有正、續編，在（）內標出目錄起始年限，作爲分辨。
4. 「附錄」分爲「常態性附錄」與「非常態性附錄」兩項，常態性附錄又分爲「引用工具書書目」、「引用期刊報紙目錄」、「引用論文集目錄」；非常態性附錄由於內容多樣化，因此僅粗分爲「附表」與「其他」。

附　錄　內　容 目　錄　名　稱	常 態 性 附 錄			非 常 態 性 附 錄	
	引用 工具 書目 錄	引用 期刊 報紙 目錄	引用 論文 集目 錄	附 表	其 他
文獻學　書評索引初篇1970	／	／	／	／	文章：1.書評的研究2.書評的價值及其作法3.書評及新書介紹

中國叢書綜錄1986	/	/	/	1.全國主要圖書館收藏情況表 2.藏書者簡稱表	/
中國版刻綜錄1987	/	/	/	書前有參考項代號表	宋、元、明、清抄本目錄
中國古籍善本書目（經部）1989	/	/	/	1.藏書單位代號表 2.藏書單位檢索表	/
古籍版本題記索引1991	/	/	/	採用書目及其代號表	書前有宋至清版本書影舉例
古佚書輯本目錄1997	/	/	/	1.所收叢書版本表 2.拼音與四角號碼對照表	
香港中文大學圖書館古籍善本書錄1999	/	/	/	/	書前有善本書影
孔子研究論文著作目錄1987	/	/	/	/	1966–1976年「文革」期間少數論文資料索引
經學研究論著目錄（1912－1987）1989	/	○	○	/	/
經學研究論著目錄（1988－1992）1995	/	○	○	/	/
朱子學研究書目1992	○	/	/	/	/
日本研究經學論著目錄1993	○	○	○	/	/

左側縱欄：經學與哲學

	中國哲學史論文索引1994	/	○	○	/	/
	乾嘉學術研究論著目錄1995	○	/	/	/	/
	兩漢諸子研究論著目錄1998	/	中、外文	中、外文	/	/
史學與考古學	金石書錄目1930	/	/	/	金石書錄目勘誤表	/
	五十年甲骨學論著目1952	/	/	/		/
	中國史學論文引得1963	/	○	/	1.筆名別號檢查表 2.外國人名漢譯對照表 3.勘誤表	
	中國考古學文獻目錄1978	/	○	○	勘誤表	/
	中國考古學文獻目錄1998	/	/	/	/	評論（目錄）
	中國史學論文索引（1900－1937）1980	/	○	/	外國人名漢譯對照表（英漢）、（漢英）	/
	中國史學論文索引（1937－1949）1980	/	○	/	/	/
	中國史學論文索引（1949－1976）1995	/	/	/	/	一九六五年至一九七六年篇目匯編

中國歷史地理學論著索引1986	/	○	○	/	/
青銅器論文索引1986	/	○	○	/	/
敦煌學研究論著目錄1987	/	/	/	/	1.近百年敦煌學的回顧 2.英語內容簡介 3.編撰者專著目錄
一五二二種學術論文集史學論文分類索引1990	/	/	○	本索引未收專題論文集一覽表	當代史學家傳記資料索引
甲骨學與商史論著目錄1991	/	/	/	甲骨文合集分類目錄	1.甲骨學商史綜合研究專著細目 2.周原甲骨文及有關西周早期主要論著目 3.甲骨學商史研究學者名
中國地方志總目提要1996	/	/	/	圖書館簡稱、全稱對照表	1.臺灣現藏《本提要》未收方志書名目錄 2.臺灣現藏《本提要》所收方志書名目錄
中國家譜綜合目錄1997	/	/	/	/	報送目錄單位名單

	百年甲骨學論著目1999	/	/	/	/	1.殷墟遺存 2.殷墟以外甲骨等刻文發現與研究
	敦煌學研究論著目錄2000	/	○	○	/	/
文學	紅樓夢研究文獻目錄1982	/	/	/	筆畫檢字表	文章:1.近年的紅學評述 2.近年紅學的發展與紅學革命——一個學術史的分析3.新紅學的發展方向4.紅學六十年5.英語世界的紅樓夢6.論紅樓夢研究的基本態度7.幾番風雨到紅樓——大陸三十年來「紅樓夢研究」評判
	中國現代文學期刊目錄匯編1988				期刊基本情況一覽表	館藏索引
	中國通俗小說總目提要1990	/	/	/	/	1.本書未收《中國通俗小說書目》著錄之書目一覽 2.《中國通俗小說書目》補編 3.《晚清小說目》補編

	詞學研究書目1993	/	中日韓西	中日韓	/	/
	詞學論著總目1995	○	報：中 期： 中外	中、外	/	1.鑑賞類書籍選析詞作索引 2.1901年以來重要詞學叢刊目錄 3.1901年以來三大詞學期刊總目
	中國文言小說總目提要1996	/	/	/	/	1.剔除書目 2.偽訛書目
	英譯中文詩詞曲索引2000	/	/	/	1.作者朝代一覽表 2.威妥→拼音作者姓名轉換表	中文參考書目
人 物	魯迅研究資料索引1980	/	○	/	/	有關魯迅的專著、專集、專篇、專章圖書一覽
	古今人物別名索引1983	/	/	/	/	訂誤
	魯迅研究書錄1987	/	/	/	/	1.書前有魯迅像、研究魯迅著作書影 2.有關現代文學研究叢刊
	歷代人物諡號封爵索引1996	/	/	/	太平天國封爵表	1.《漢晉迄明諡彙考》 2.《清諡法考》
	湯顯祖研究文獻目錄1996	○	/	/	/	湯顯祖研究資料彙編目次

社	中國大陸宗教文章索引1995	/	○	○	歷年發表文章分類統計	1.中華佛學研究所論叢 2.智慧海系列
會	近百年中國婦女論著總目提要1996	/	/	/	/	婦女報刊名錄說明
學	中國民族學與民俗學研究論著目錄1997	○	○	○	/	/
	中國寶卷總目1998	/	/	/	/	文獻著錄寶卷目
綜	全國博碩士論文分類目錄1977	/	/	/	/	中山留學獎學金及國外進修軍職人員博碩士論文
合	中國文化研究論文目錄1985	/	○	○	/	/

內容說明：

1.引用工具書目錄

引用工具書目錄的作用，在於一方面告訴讀者引用資料的來源，一方面也表示不掠前人之美的用意。❺在什麼情況下需要「引用工具書的目錄」？要視所收資料的年限而定。如果目錄的起始年必須追溯到1900年到1950年之間，就必須要仰賴前人所編的目錄來補齊這時期的資料。因為在這段時期，不論中國大陸或臺灣，政治上的變動頻繁，文獻的保存不易，多有散失，前人所編的目錄便成

---

❺　同註❶，頁69。

了保存這些文獻的最佳堡壘。

在上表五〇種專科目錄中，有「引用工具書目錄」的只有《朱子學研究書目》、《乾嘉學術研究論著目錄》、《日本研究經學論著目錄》、《詞學論著總目》、《湯顯祖研究文獻目錄》等五種。其編排方式，有以筆劃多寡編排者，如《湯顯祖研究文獻目錄》；有以書目性質編排者，如《朱子學研究書目》、《乾嘉學術研究論著目錄》、《詞學論著總目》；有以國別不同編排者，如《日本研究經學論著目錄》。並不是每部目錄都需要「引用工具書目錄」，以《經學研究論著目錄（1988－1992）》而言，由於它是實地抄錄期刊、報紙、論文集的資料，沒有引用到其他目錄，也就不需要「引用工具書目錄」。而《乾嘉學術研究論著目錄（1900－1993）》、《朱子學研究書目（1900－1991）》只有「引用工具書目錄」而無引用期刊報紙、論文集目錄。這兩個目錄所收年限拉得非常長，如前所述，前五十年的文獻常有散失，因此，這兩個目錄是利用已編好的目錄爲基礎而編成的，除非著錄項不完整❻，才會複查報紙、期刊、論文集以補齊資料。

2.引用期刊報紙目錄

引用期刊報紙目錄，一般都以筆劃多寡編排；對期刊或報紙的著錄方式，有的僅將期刊或報紙名稱列出，如《青銅器論文索引》；有的著錄該期刊或報紙的創刊日期、刊期、出版地、出版者等，如《經學研究論著目錄》、《詞學論著總目》；有的除了上述的著錄

---

❻ 有些報紙、期刊、論文集已亡佚，如果著錄項不全，也無法補齊資料，這時只能付之闕如。

項外,又非常詳細的將所收錄的期刊、報紙期數一一列出,並統計所收篇數,如《中國文化研究論文目錄》,舉例來說,期刊的著錄方式爲:

人 生

38年5月創刊　臺北　人文月刊社　收3卷6期,4卷5、7、12期,5卷1、2、5期,6卷2期,7卷1期,8卷1期,13卷1期,共收15篇(40-50年)。

說明目錄收錄了《人生》這種刊物的卷期及總篇數。報紙的著錄方式亦同。最後還將所收錄的報紙論文,製成「收編論文篇數統計表」。

　　3.引用論文集目錄

　　爲了讓使用者很快就可以找到他所需的論文集,並告訴使用者收入那些論文集,編輯者會編「引用論文集目錄」,以方便使用者運用。每一論文集,一般應著錄書名、作者、出版地、出版者、出版年月❼,如《經學研究論著目錄》、《詞學論著總目》、《中國文化研究論文目錄》、《湯顯祖研究文獻目錄》等。但並非每一種目錄都可以做到完整著錄論文集的工作,如《青銅器論文索引》後面所附的〈引用專著及論文集目錄〉,除了著錄論文集名、作者外,有些條目有出版者、出版年月,有些則無,顯得零零落落,這可能是因爲編者在轉引別部目錄時,資料已不全,造成體例的不完整。

　　在這方面,《一五二二種學術論文集史學論文分類索引》的做法比較適當,編者在〈凡例〉中就說明〈本索引所收論文集一覽表〉

---

❼　同註❶,頁70。

所收的論文集，絕大部分是經過編者過目，並依據原書輯錄、校對、分類。但限於條件，也有少數未見原書，其篇目是從其他索引中輯出，這種未經過編者寓目的論文集，編者為表不略前人之美，均在集名的右上角做記號標明。這樣就不會破壞了目錄的體例。

非常態性的附錄通常散見於書前、書中、書後，其內容多樣化，有表格，如：統計表格、對照表、勘誤表等，有文章，有書目，有研究資料彙編目次，有該出版單位所出版的系列書刊等。以下分「文獻學」、「經學與哲學」、「史學與考古學」、「文學」、「人物」、「社會學」等方面舉例說明。

1. 文獻學

以《書評索引初篇》為例，書後附有三篇文章：〈書評的研究〉、〈書評的價值及其作法〉、〈書評及新書介紹〉，並註明轉載的期刊、卷數。這是由於「書評」在一般人的觀念中，常會與「提要」混淆，因此，編輯者附上這些文章，能夠幫助使用者釐清「書評」的內涵。這種附錄雖然和使用這部目錄沒有多大的關係，但卻能幫助我們對目錄主題的認識。

以《中國版刻綜錄》為例，它雖是以宋、元、明、清版刻資料為主的目錄，但在書後卻附有自宋至清的抄本目錄，這是由於中國古代印刷業多集中在大、中城鎮，而且書價很貴，士人多望洋興嘆，邊遠山區人民也買不到，所以多借書手鈔備用，這就是在印刷術普遍推行以後，傳抄本依然流行的原因。編者附上自宋至清的抄本目錄，亦提醒使用者不可忽略抄本在中國古代的作用。

以《中國叢書綜錄》為例，書後附有〈全國主要圖書館收藏情況表〉，對每一部叢書的輯撰者、版本以及收藏於中國大陸那些圖

書館，皆可藉此表一目了然，避免書找不到的窘境。

　2.經學與哲學

　以《孔子研究論文著作目錄》爲例，本目錄分爲中國大陸及臺灣兩部分，在中國大陸孔子研究目錄之後，附有〈1966－1976年『文革』期間少數論文資料索引〉。編輯者的用意，應是在這段期間，一方面文獻資料散佚頗多，尋求不易；一方面文革時期對孔子的批鬥相當厲害，形成孔子研究的一個特殊現象。我們可以從目錄上看出，如：

　　紅　戈　是「愛人」還是「吃人」——孔子的「仁」的虛
　　　　　　僞性和反動性　大眾日報　1969年8月14日
　　趙家驥　孔子——頑固維護奴隸制的教育家　吉林師範大
　　　　　　學學報　1973年第1期

　3.史學與考古學

　以《中國考古學文獻目錄（1971－1982）》爲例，附有〈評論〉（目錄），視其內容，皆爲文革時期「批林批孔」、「儒法鬥爭」、「農民起義」的論文目錄，編者在〈後記〉中說：「所收報刊索引中，因當時歷史情況發表的某些評論性文章，單獨編列爲附錄，以便檢索。」（頁406）這與上列《孔子研究論文著作目錄》是相同的情況，編者將這部分的目錄單獨列出，除了以上的考量外，或許也是要凸顯文革時期許多不負責任的言論，任意謾罵，對學術的研究無異是一種嚴重的傷害與誤導。

　以《一五二二種學術論文集史學論文分類索引》爲例，附有〈本索引未收專題論文集一覽表〉、〈當代史學家傳記資料索引〉。本

目錄除了有〈引用論文集目錄〉外，還有〈未收專題論文集一覽表〉，因為這個目錄是以「學術論文集」為收錄範圍，由於論文集種類眾多，必須有所取捨，例如文學、哲學史方面有部分專題論文集，或專論一人，或專論一書，主題明確，內容集中，不難查找，而數量甚多。為避免索引篇幅過鉅，這類論文集不予收錄，僅在附錄中存目以備查考。此外，在文革期間，出版許多「批儒評法」的小冊子，這種「論文集」的內容互相重複，為節省篇幅，僅選錄部分，以存歷史之真，其餘亦只在附錄中存其目錄。因此，使用者可以利用這個附錄，來找尋自己所需的論文集是否被收進目錄中。另外，本書所收各論文集的論文、序跋、附錄中，有些是介紹、評論當代史學家的生平事蹟，於史學關係密切，卻又不屬於收錄範圍中，因此編作附錄，將相關文章按人集中以備查。

以《甲骨學與商史論著目錄》為例，書後有三個附錄：一是〈甲骨學商史綜合研究專著細目〉，細目的最前面列了十八本專書，之後再將每一部專書的細目都列出來，提供了研究此專題主要書籍的內容大綱；二是〈周原甲骨文及有關西周早期主要論著目〉，目的是方便使用者在研究商代甲骨文及商史時，同時也能掌握商、周交接之際的甲骨文及西周初期的研究；三是〈甲骨學商史研究學者名〉，這個附錄選收中外已故甲骨學、商史學者，及與甲骨學、商史關係密切，具有一定影響的人物四十二人，介紹他們的學術經歷。以本名為條目，別名、字號、筆名則不別立參見條。

4.文學

以《中國現代文學期刊目錄匯編》為例，附有〈館藏索引〉與〈期刊基本情況一覽表〉。〈館藏索引〉說明期刊於各圖書館館藏

的情形，如：《新青年》，原名《青年雜誌》（月刊、季刊、不定期刊），
一至九卷，「原本」館藏地有北京圖書館、北京大學圖書館、中國
革命博物資料室等地；「影印本」館藏地有北京圖書館、北京大學
圖書館、中國科學院圖書館、清華大學圖書館……等地。〈期刊基
本情況一覽表〉實際上就是「引用期刊目錄」，不過它是以表格的
形式呈現，而且資料更爲詳細，除了註明刊名、刊期、出刊起止時
間、出刊卷期、出刊地點、編輯者、出版發行者外，還有備注一欄，
如《新青年》，備注：「第一卷名爲《青年雜誌》，第二卷起更名
《新青年》。從第八卷起成爲上海共產主義小組刊物，不久成爲中
國共產黨機關刊物。第四至七卷曾實行編輯集議制和輪流主編制。」

　　以《中國通俗小說總目提要》爲例，附有〈本書未收《中國通
俗小說書目》著錄之書目一覽〉、〈《中國通俗小說書目》補編〉、
〈《晚清小說目》補編〉。

　　孫楷第的《中國通俗小說書目》是中國通俗小說書目奠基性的
著作，《中國通俗小說總目提要》得益於孫《目》的地方頗多，但
由於兩部目錄選取的標準不同，孫《目》所錄的書目，有不合《中
國通俗小說總目提要》入選的標準，因此編輯者爲便利使用者參檢，
將這部書未收孫《目》的書以及不收的緣由分列於後。試以一例說
明：

卷一　宋元部　《楊元子》
本書凡例二：「本書所收書目，應爲確已成書者。小說史
料如《醉翁談錄》所舉當時說話名目，若無證據說明已經
成書者（如《楊元子》之類），均不收錄；若已演變爲後世之

小說作品者（如《紅蜘蛛》之類），則在後世該條目中述及故事沿革部分注出之。」《楊元子》系《醉翁談錄》所舉當時說話名目，無證據說明確已成書，故不錄。

〈《中國通俗小說書目》補編〉的編寫，是由於《中國通俗小說總目提要》所收書目一千一百餘條，較之孫楷第的《中國通俗小說書目》與阿英的《晚清小說目》之著錄，均有較大的發現。因此依其原書體例，分別補編。孫《目》的著錄範圍，有與《晚清小說目》交叉者，編者將一九○○年以後的書目，一律歸入《晚清小說目》補編中。

〈《晚清小說目》補編〉的排列，依阿英《晚清小說目》的體例，以筆劃為序，而每書的著錄，為求前後的統一，則仿孫《目》，但於版本各項，著錄較詳。

5.人物

以《魯迅研究書錄》為例，書前有魯迅像、研究魯迅著作書影，書後附錄〈有關現代文學研究叢刊〉。本目錄將魯迅研究分為十個類別，在第九類「魯迅研究的專刊」後附有《中國現代文藝資料叢刊》、《中國現代文學研究叢刊》、《文學評論叢刊》三種現代文學研究叢刊，這三種叢刊雖不是研究魯迅的專刊，但幾乎每期均有多篇有關研究魯迅的文章，因此編者按期輯錄其中有關篇目，作為研究魯迅專刊的附錄。

以《湯顯祖研究文獻目錄》為例，附錄有「湯顯祖研究資料彙編目次」，按其散佚作品、傳記資料等方面分類編排。

　6.社會學

　　以《近百年中國婦女論著總目提要》爲例，書後附有〈婦女報刊名錄說明〉，其凡例說：

　　⑴收錄了自1898年起，1992年止，在中國歷史上曾出現過的婦女報刊437種。

　　⑵所謂婦女報刊，是指以婦女爲主要閱讀（或主要服務）對象的報紙雜誌。它既包括專門的婦女報紙刊物，也包括一般報刊上的婦女專欄，以及各類女子學校的校刊、學報。

　　⑶各錄排列的方式是：先按報刊出版地點以省、市、自治區、行政區劃分，再以報刊創刊年月的先後爲序排列。將16種在4個國家和地區出版的報刊附在最後。

　　這些國家和地區包括臺灣、香港、日本、菲律賓、新加坡等地。試以一例說明：

　　北京

　　國立北京女子師範大學周刊（女師大周刊）（周刊）1923年～？

　　　　本刊是一份女校校刊，記載了女師大學生運動及魯迅

　　　　在該校的活動等史料。

三、附錄的功用

　　從上一節的列表及內容的說明，我們可以從兩方面了解「附錄」的功用：

（一）常態性附錄的功用，在於一方面引導使用者更快速、
　　　方便地使用目錄，一方面讓使用者了解資料的來源。

如：

1.「引用工具書目錄」的作用，在於告訴使用者引用資料的來源，也表示不掠前人之美的用意。

2.「引用期刊報紙目錄」的作用，在於告訴使用者本目錄收錄期刊、報紙的情形。

3.「引用論文集目錄」的作用，是為了讓使用者更快就可以找到他所需的論文集，並告訴使用者收入那些論文集。

（二）非常態性附錄的功用，主要並不在於幫助使用者快
　　　速使用目錄，而在於補充目錄的不足，讓使用者獲
　　　得更多相關的資料，以了解這個主題的特性。

如：

1.附錄文章，以《書評索引初編目錄》為例，編輯者附錄了三篇關於書評研究的文章，由於一般人並不是十分了解書評的必備條件為何，而且與提要、摘要的寫法並不相同，因此編者借這三篇文章告訴使用者，一篇良好書評的撰寫方式。

2.附錄表格，以《中國叢書綜錄》為例，編輯者附有〈全國主要圖書館收藏情況表〉，目的在告訴使用者所有《綜錄》所著錄的叢書，可以在那些圖書館中尋得，不會發生找到條目卻找不到書的情形。

3.附錄目錄，以《孔子研究論文著作目錄》為例，編輯者附有

〈1966－1976年「文革」期間少數論文資料索引〉，目的在告訴使用者，在文革期間，文獻資料散佚頗多，尋求不易，也可藉此目錄反映文革時期對孔子批鬥的情況。又以《甲骨學與商史論著目錄》爲例，編輯者附錄了〈周原甲骨文及有關西周早期主要論著目〉，目的在告訴使用者，研究甲骨學與商史，也不要忽略了西周初期的甲骨與西周初期的歷史，因爲學術是連貫相因，而不是片段的。

4.附錄書影，以《古籍版本題記索引》、《香港中文大學圖書館古籍善本書錄》爲例，書前附有版本的書影，對於一般使用者，不易得見眞實的古籍版本，藉由書影的呈現，也可略窺古籍版本的形式。

5.附錄肖像，以《魯迅研究書錄》爲例，書前附有魯迅的肖像。即使很多人對魯迅的名字很熟悉，但並不是人人都看過他的容貌，使用者便可以藉此一睹文學大師的風采。

由以上的陳述，可以了解附錄的功用，也可以明白附錄雖然是目錄的附屬品，但是目錄中如果沒有「附錄」，我們可能要花上好半天的時間，才能夠對這個專科有初步的了解或找到我們所需要的資料，這樣也就違背目錄的功效。以《中國古籍整理研究論文索引》爲例，作爲目前唯一一部古籍整理研究的論文目錄而言，它沒有任何的附錄、索引，雖然它的分類目錄非常細，但是使用者找到細目後，還是得從頭至尾翻閱，才能找到自己要的篇目，對使用者來說，眞的是太不方便了。

四、結　語

在以上所列的專科目錄中，它們的附錄也並非都是很完善的，以下，試以幾個目錄為例，提出個人的淺見。

以《甲骨學與商史論著目錄》為例，書後附有〈甲骨學商史研究學者名〉，列舉四十二個對甲骨學及商史研究具有一定影響的人物。對於「具有一定影響的人物」，這個標準應如何拿捏？又編者附錄此項，是因為在分類時並無「甲古學研究學者」一類，而這些學者卻又和甲骨學、商史的研究密不可分，致使編者必須在附錄中再編一個〈甲骨學商史研究學者名〉。如果在分類時，將研究學者歸納為一類，相信所收錄的資料會更齊全，對使用者來說也更方便。另一個以甲骨學為名的專科目錄《百年甲骨學論著目》，在分類時即有「學人傳記」一類，可將所有研究甲骨文的學者全收入，這是一個比較適當的作法。

以《中國家譜綜合目錄》為例，附有「報送目錄單位名單」，但是它的排列方式是以收到目錄的先後次序為序，這樣的編排法有些令人匪夷所思，不禁令人猜想是否要獎勵那些早報送的單位，但是這樣的做法，卻苦了使用者，必須從頭至尾全部看過一遍，才能知道那個單位是否在這部目錄中有收錄。

以《敦煌學研究論著目錄》為例，附有「編撰者專著目錄」，但所附的目錄中，如：《宋四家詞選箋注》、《國史論衡》、《中國經世史稿》、《中國學術思想史》、《魏晉南北朝研究論集》、《魏晉南北朝史研究論文書目引得》等書，都與「敦煌學」的研究沒有直接的關係，這些書目，可以放在編撰者簡介的地方，而不要

以附錄的方式呈現。以《中國大陸宗教文章索引》而言，也附有該
出版社所出版一系列關於宗教的書籍書目，與「宗教」這個主題能
相互呼應，附在書後，也才有它的意義存在。

　　另外，我們也可以常常發現有些目錄的附錄有喧賓奪主之嫌。
以《詞學論著總目》而言，共四大冊，而附錄共有八種，幾乎佔了
一冊半，這樣的做法是不是必要，仍值得商榷。和《詞學論著總目》
相同情況的《紅樓夢研究文獻目錄》，書後附有七篇文章：〈近年
的紅學評述〉、〈近年紅學的發展與紅學革命──一個學術史的分
析〉、〈新紅學的發展方向〉、〈紅學六十年〉、〈英語世界的紅
樓夢〉、〈論紅樓夢研究的基本態度〉、〈幾番風雨到紅樓──大
陸三十年來「紅樓夢研究」評判〉。編者希望能藉此七篇使讀者對
研究《紅樓夢》的歷史、派別、發展方向、基本態度等有更進一步
的了解，可以看出編者的用心，但是卻也使「附錄」喧賓奪主，反
而成為這部目錄的重心。編者可以另外編一部《紅樓夢》研究的資
料彙編，如此一來，目錄不會顯得冗雜、重心不穩，資料彙編也更
能滿足使用者的需求。

　　一個好的「附錄」的編排，和編輯者思考的縝密程度有著密切
的關係。就常態性的附錄而言，一個好的「附錄」，它所應具備的
條件，在編排上應方便查詢；在內容上應該簡單清晰。在前面的敘
述中，曾經提到「館藏索引」，筆者以為這是一個很好的構想，但
是我們可以更簡化一些，只把較難尋得的報紙、期刊、論文集註明
其館藏地即可。例如《大陸雜誌》、《東方雜誌》是大家耳熟能詳
的臺灣期刊，較具規模的圖書館都有收藏，就不需要註明館藏地；
《朵雲》是較不常見的大陸期刊，可以註明藏於「漢學研究中心」。

這樣可以省去全部註明的麻煩，也可幫助使用者更快速尋得所需的資料。在使用目錄的過程中，筆者發現，往往在目錄中尋得我們需要的條目不是難事，最令我們傷腦筋的地方是這條目所刊載的報紙、期刊、論文集究竟在那裏可以找到？如果可以註明館藏地，距離近的圖書館我們可以自己去印，距離遠的可以利用館際合作的方式取得我們需要的資料，這樣附錄才是發揮了最大的功能。

再者，筆者稍稍統計，自一九九〇年以後臺灣出版的目錄，如《日本研究經學論著目錄》、《乾嘉學術研究論著目錄》《敦煌學研究論著目錄》、《中國民族與民俗學研究論著目錄》、《朱子學研究書目》、《兩漢諸子研究論著目錄》、《日本儒學研究書目》、《詞學研究書目》、《詞學論著總目》、《湯顯祖研究文獻目錄》等，其編排方式都承襲一九八七年所編輯的《經學研究論著目錄》，就常態性的「附錄」而言，它確實是目前編排方式較好的目錄，同時它也為之後的目錄作了一個良好的示範。

就非常態性的附錄而言，「附錄」的多寡必須恰到好處，太多使人感到冗雜，喧賓奪主；太少又使人覺得不夠完整。依照不同的專科附上一些相關的資料，幫助使用者除了能方便、快速運用目錄外，更能獲得相關的知識，這樣就是一個好的專科目錄的「附錄」了。現代人講求效率，當然希望能從一部書可以得到多方面的資訊，「附錄」即提供了這一個功能。

附錄：本文使用目錄一覽

01.書評索引初篇　鄭慧英編　臺北　臺灣學生書局　1970年3月

02.中國叢書綜錄（一、二、三）　上海圖書館編　上海　上海古籍出版社　1993年10月

03.中國版刻綜錄　楊繩信編　咸陽　陝西人民出版社　1987年6月

04.中國古籍善本書目（經部）　中國古籍善本書目編輯委員會編　上海　上海古籍出版社　1989年10月

05.古籍版本題記索引　羅偉國、胡平編　上海　上海書店　1991年6月

06.古佚書輯本目錄　孫啓治、陳建華編　北京　中華書局　1997年8月

07.香港中文大學圖書館古籍善本書錄　香港中文大學圖書館系統編　香港　中文大學出版社　1999年

08.孔子研究論文著作目錄（1949－1986）　中國社會科學院哲學研究所資料室編　濟南　齊魯書社　1987年5月

09.經學研究論著目錄（1912－1987）　林慶彰主編　臺北　漢學研究中心　1989年6月

10.經學研究論著目錄（1988－1992）　林慶彰主編　臺北　漢學研究中心　1995年6月

11.朱子學研究書目（1900－1991）　林慶彰主編　臺北　文津出版社　1992年5月

12.日本研究經學論著目錄（1900－1992）　林慶彰主編　臺北　中

央研究院中國文哲研究所籌備處　1993年10月

13.中國哲學史論文索引（四）　方克立、楊守義、肖文德編　北
京　中華書局　1991年1月

14.乾嘉學術研究論著目錄（1900－1993）　林慶彰主編　臺北　中
央研究院中國文哲研究所籌備處　1995年5月

15.兩漢諸子研究論著目錄（1912－1996）　陳麗桂主編　臺北　漢
學研究中心　1998年

16.金石書錄目　容媛編　臺北　中央研究院歷史語言研究所
1930年6月

17.五十年甲骨學論著目　胡厚宣編　北京　中華書局　1952年1月

18.中國史學論文引得（1902－1962）　余秉權編　香港　亞東學
社　1963年

19.中國考古學文獻目錄（1949－1966）　中國社會科學院考古研
究所圖書資料室編　北京　文物出版社　1978年12月

20.中國考古學文獻目錄（1971－1982）　中國社會科學院考古研
究所資料信息中心編　北京　文物出版社　1998年6月

21.中國史學論文索引（1900－1937）　中國科學院歷史研究所第
一、二所；北京大學歷史系編　香港　三聯書店香港分店　1980
年1月

22.中國史學論文索引第二編（1937－1949）　中國社會科學院歷
史研究所編　香港　三聯書店香港分店　1980年5月

23.中國史學論文索引第三編（1949－1976）　中國社會科學院歷
史研究所編　北京　中華書局　1995年11月

24.中國歷史地理學論著索引　杜瑜、朱玲玲編　北京　書目文獻

出版社　1986年4月

25.青銅器論文索引　孫稚雛編　北京　中華書局　1986年6月

26.敦煌學研究論著目錄　鄺士元編著　臺北　新文豐出版公司
　1987年6月

27.一五二二種學術論文集史學論文分類索引　周迅、李凡、李小
　文編　北京　書目文獻出版社　1990年2月

28.甲骨學與商史論著目錄　濮茅左編　上海　上海古籍出版社
　1991年12月

29.中國地方志總目提要（上、中、下）　金恩輝、胡兆述主編　臺
　北　漢美圖書公司　1996年4月

30.中國家譜綜合目錄　國家檔案局二處、南開大學歷史系、中國
　社科院歷史所圖書館編　北京　中華書局　1997年9月

31.百年甲骨學論著目　宋鎮豪主編　北京　語文出版社　1999年7
　月

32.敦煌學研究論著目錄（1908－1997）　鄭阿財、朱鳳玉主編　臺
　北　漢學研究中心　2000年4月

33.紅樓夢研究文獻目錄　宋隆發編　臺北　臺灣學生書局　1982
　年6月

34.中國現代文學期刊目錄匯編（上、下）　唐沅等編　天津　天
　津人民出版社　1988年9月

35.中國通俗小說總目提要　江蘇省社會科學院明清小說研究中
　心、文學研究所編　北京　中國文聯出版公司　1990年2月

36.詞學研究書目（1912－1992）　黃文吉編　臺北　文津出版社
　1993年4月

37.詞學論著總目（1901－1992） 林玫儀主編 臺北 中央研究
院中國文哲研究所 1995年6月

38.中國文言小說總目提要 寧稼雨撰 濟南 齊魯書社 1996年
12月

39.英譯中文詩詞曲索引 汪次昕主編 臺北 漢學研究中心
2000年4月

40.魯迅研究資料索引（上冊） 北京 人民文學出版社 1982年1
月；（下冊） 1980年3月

41.古今人物別名索引 陳德芸編 臺北 藝文印書館 1983年6月

42.魯迅研究書錄 季維周、季燕寧、季燕秋編 北京 書目文獻
出版社 1987年7月

43.歷代人物謚號封爵索引 楊震方、水賚佑編著 上海 上海古
籍出版社 1996年5月

44.湯顯祖研究文獻目錄 陳美雪編 臺北 臺灣學生書局 1996
年12月

45.中國大陸宗教文章索引 王雷泉主編 臺北 東初出版社
1995年10月

46.近百年中國婦女論著總目提要 藏建、董乃強主編 吉林 北
方婦女兒童出版社 1996年1月

47中國民族學與民俗學研究論著目錄 簡濤主編 臺北 漢學研究
中心 1997年6月

48.中國寶卷總目 車錫倫編撰 臺北 中央研究院中國文哲研究
所籌備處 1998年6月

49.全國博碩士論文分類目錄 王茉莉、林玉泉主編 臺北 天一

出版社　1977年7月

50.中國文化研究論文目錄（1946－1979）　中華文化復興運動推

行委員會主編　臺北　臺灣商務印書館　1985年12月

專科目錄輔助「索引」的檢討與展望

薛雅文 *

一、前言

「專科目錄」，是爲某一專門人物、學科、問題等所編纂而成的目錄。論其編纂主要目的，胡楚生〈專科目錄的利用與編纂〉一文云：

> 此種目錄的編纂，主要是希望能將某一學科有關的論著資料，在目錄之中，巨細靡遺，網羅殆盡，以便使用的人們，一編在手，對於所需的資料，能夠達到按圖索驥、檢索即得、省時省事的目的，從而了解過去，策勵將來，在學術的研究上，取得更好的成績。❶

---

* 　東吳大學中國文學系碩士生。

❶　胡楚生：〈專科目錄的利用與編纂〉，《書評書目》第94期（1981年2月），頁23。

黃文吉《詞學研究書目》自序亦云：

> 由前人的研究成果，瞭解前人尚未解決之問題，進而掌握
> 學術發展之方向，目光自然遠大，這是成就學問的起步。❷

從以上二則資料得知，省時、方便來檢索所需資料，並能掌握目前
某一學科研究成果，以提供學者未來研究方向，是一部「專科目錄」
編纂的主要目的。

「專科目錄」編纂目的，既是讓使用者方便檢索，故書前的「目
次」分類條目，必須相當詳盡清楚，期能讓人一目瞭然。另外，亦
可藉由書後輔助「索引」來達成同樣目的；書後輔助「索引」，這
也是本文將談論的主題。

何謂「索引」？張錦郎《中文參考用書指引》云：

> 索引二字，中國無此名稱。國人使用這二字，是沿用日人
> 翻譯而來。辭源「將書籍之內容，別爲目錄，以便檢索者，
> 日本謂之索引」。❸

張錦郎《中文參考用書指引》又云：

> 我國第一部在原書後附有索引的，始於明崇禎十五年
> （1642）由耶穌會士陽瑪諾譯的「聖經直解」。❹

---

❷ 黃文吉：《詞學研究書目》（臺北：文津出版社，1993年4月），頁3。
❸ 張錦郎：《中文參考用書指引》（臺北：文史哲出版社，1983年12月增訂三
 版），頁217。
❹ 同前註，頁291。

從以上二則資料得知，「索引」二字是外來語譯名，其編纂目的在便利於資料檢索者之使用，而書後真正附有索引來作為檢索，則早在明崇禎年間即已出現。檢視今日書冊後所附的輔助「索引」，又是以何種類型來讓使用者更方便檢索？下文將談論「目前『索引』的類型、功用及其價值」，即是以此為主要議題。

本文題目為〈專科目錄輔助「索引」的檢討與展望〉，其中並涉及「省思」之探討，這部分乃起因於，筆者認為時代在轉變，每一學術亦受當代潮流所激盪，進而產生出屬於這一時代特色的學術風格。所以，為什麼會有當代的「顯學」？或是不被重視的學術？這正說明學術與時代密不可分的關係。近年來在有關探討目前文獻、治學等主題之研討會中，不少專家學者都談到「專科目錄」的重要性。針對目前「專科目錄」，在編輯上的成就及發展，可說是已經達到成熟的階段。然而，也有學者質疑，「專科目錄」如還只停留在此，是否仍有意義？筆者反覆省思，一部「專科目錄」在收集資料上備極辛苦，為什麼仍不被重視！因此，只有將檢索的功能性加強及檢索的範圍擴大，提升至具有學術價值，才不會再被人輕視。那麼，如何將檢索的功能性加強及檢索的範圍擴大？筆者認為其中或可從書後輔助「索引」著手，故下文緊接再闡述「省思目前『索引』以及展望未來『索引』」。

二、目前「索引」的類型、功用及其價值

一部好的「專科目錄」，除在收集資料上須巨細靡遺、網羅殆盡外，亦須在檢索功能上達到檢索即得、省時省事的目的。所以，

書後應附有各種輔助「索引」，以便利於使用者來快速檢索，是必須且重要的。

（一）類型與功用

專科目錄書後該附何種輔助索引，學者曾提出幾種索引類型。胡楚生〈專科目錄的利用與編纂〉一文，已提到幾種類型之輔助索引，計有「作者索引」、「標題索引」、「卷期及年月索引」。而林慶彰〈專科目錄的編輯方法〉文中提到：

> 目錄之後，應附有那些索引，學者的看法也有所不同，有的目錄既有標題索引，也有作者索引。❺

二人提到輔助索引以「作者索引」、「標題索引」兩類爲常見。

那麼不同類型的索引，究竟具有那些意義及功用？筆者茲舉偶近三十年來臺灣地區經學、史學、子學、文學、人物等專科目錄，以一窺究竟。以下先分別呈現六十、七十及八十年代的專科目錄書後輔助「索引」現象，再以說明作一簡單介紹。

---

❺ 林慶彰：〈專科目錄的編輯方法〉，《書目季刊》第30卷第4期（1997年3月），頁70。

1.六十年代

目錄名稱	索引內容	說　明
《中國史學論文引得》 余秉權編❻	作譯者姓氏檢字 作譯者姓氏羅馬拼音檢字 輔助索引—（一）卷期及年月輔助索引、卷期及年月輔助索引說明 輔助索引—（二）標題檢字輔助索引、標題檢字輔助索引說明	作譯者姓氏檢字—以筆畫多寡排列。 作譯者姓氏羅馬拼音檢字—以拼音方式排列。 輔助索引—（一）卷期及年月輔助索引，以筆畫多寡排列；卷期及年月輔助索引說明，說明此一索引的編輯條例。 輔助索引—（二）標題檢字輔助索引，以筆畫多寡排列；標題檢字輔助索引說明，說明此一索引的編輯條例。
《中國史學論文引得續編》—歐美所見中文期刊文史哲論文綜錄 余秉權編	編輯說明 作譯者姓氏羅馬拼音檢字 筆名別號檢字	編輯說明—說明此一索引的編輯條例。 作譯者姓氏羅馬拼音檢字—以拼音方式排列。 筆名別號檢字—以筆畫多寡排列。
《唐代文學論著集目》 羅聯添編❼	筆畫檢字表 著譯者索引	筆畫檢字表—以部首的筆畫多寡排列。 著譯者索引—以筆畫多寡排列，內又分中文部分、西文部分。

---

❻　余秉權編：《中國史學論文引得》（臺北：華世出版社，1975年4月）。
❼　羅聯添編：《唐代文學論著集目》（臺北：臺灣學生書局，1979年7月）。

2.七十年代

目錄名稱	索引內容	說　明
《一九八〇文學書目》 應鳳凰編❽	一九八〇文學書目作（編）者索引	一九八〇文學書目作（編）者索引—以筆畫多寡排列。
《中國歷代詩文別集聯合書目》 王民信主編❾	人名索引—凡例 筆畫檢字表 人名索引	人名索引—凡例，說明此一索引的編輯條例。 筆畫檢字表—以部首的筆畫多寡排列。 人名索引—以筆畫多寡排列，筆畫相同者，採用、（點）—（橫｜（直）丿（撇）。
《公藏先秦經子注疏書目》 張壽平編❿	凡例 檢字表 《公藏先秦經子注疏書目》書名索引	凡例—說明此一索引的編輯條例。 檢字表—以筆畫多寡排列。 書名索引—以書名首字多寡排列，筆畫相同者，採用編號多寡為序。
《敦煌學研究論著目錄》 鄭阿財、朱鳳玉編⓫	著者索引	備註： 1．索引使用說明，列在書前凡例中。其說明相當簡略。
《經學研究論著目	作者索引—凡例	作者索引—凡例，說明此一索引

❽　應鳳凰編：《一九八0文學書目》（臺北：大地出版社，1983年5月）。

❾　王民信主編：《中國歷代詩文別集聯合書目》（臺北：聯經出版事業公司，1992年5月）。

❿　張壽平編：《公藏先秦經子注疏書目》（臺北：國立編譯館中華叢書編審委員會，1982年1月印行）。

⓫　鄭阿財、朱鳳玉編：《敦煌學研究論著目錄》（臺北：漢學研究中心，1987年4月）。

錄（1912－1987）》 林慶彰主編⑫	作者索引	的編輯條例。 作者索引—以筆畫多寡安排，筆 畫相同者，採用、（點）—（橫 ｜（直）丿（撇）。末附西方作 者。

3.八十年代

目錄名稱	索引內容	說　明
《中外六朝文學研 究文獻目錄》 洪順隆主編⑬	作者索引—凡例 作者首字筆畫 作者索引	作者索引—凡例，說明此一索 引的編輯條例。 作者首字筆畫—以部首的筆畫 多寡排列。 作者索引—分中文作者、英文 作者、日韓語拼音作者三部分。
《詞學研究書目》 黃文吉主編⑭	作者索引—編輯說明	作者索引—編輯說明，以筆畫 多寡排列，筆畫相同者，採用、 （點）—（橫）｜（直）丿（撇）。 末附西文作者。
《日本研究經學論 著目錄》 林慶彰主編⑮	作者索引—編輯說明	作者索引—編輯說明，按姓名 筆畫多寡排列，名字先後順序 以「中文目錄檢字表」爲準。

---

⑫　林慶彰主編：《經學研究論著目錄（1912－1987）》（臺北：漢學研究中心，
　　1989年12月）。

⑬　洪順隆主編：《中外六朝文學研究文獻目錄》（臺北：漢學研究中心，1992
　　年6月增訂版）。

⑭　黃文吉主編：《詞學研究書目》（臺北：文津出版社，1993年4月）。

⑮　林慶彰主編：《日本研究經學論著目錄》（臺北：中央研究院中國文哲研究
　　所籌備處，1993年10月）。

《詞學論著總目》林玫儀主編❶	本書所收論著作者索引	本書所收論著作者索引—索引排序標準依次爲筆畫、部首、字數。 備註： 此一書目的索引，乃是附屬在「附錄」項目中。 索引使用說明，列在書前凡例中。
《隋唐五代文學論著集目正編》羅聯添編❶	姓氏筆畫檢字表 著譯者索引 西文著譯者索引	姓氏筆畫檢字表—以部首的筆畫多寡排列。 著譯者索引—索引依照筆畫多寡。 西文著譯者索引—依照英文字母順序排列。 備註：索引使用說明，列在書前凡例中。
《經學研究論著目錄（1988－1992）》林慶彰主編❶	作者索引—凡例 作者索引	作者索引—凡例，說明此一索引的編輯條例。 作者索引—以筆畫多寡安排，筆畫相同者，採用、（點）—（橫）｜（直）丿（撇）。
《湯顯祖研究文獻目錄》陳美雪編❶	作者索引—編輯說明	作者索引—編輯說明，說明此一索引的編輯條例。以筆畫多寡安排。末附西文作者。

---

❶　林玫儀主編：《詞學論著總目》（臺北：中央研究院中國文哲研究所籌備處，1995年6月）。

❶　羅聯添編：《隋唐五代文學論著集目正編》（臺北：五南圖書出版公司，1996年7月）。

❶　林慶彰主編：《經學研究論著目錄（1988－1992）》（臺北：漢學研究中心，1995年6月）。

❶　陳美雪編：《湯顯祖研究文獻目錄》（臺北：臺灣學生書局，1996年12月）。

		備註：此一書目的索引，乃是附屬在「附錄」項目中。
《兩漢諸子研究論著目錄》 陳麗桂主編❷	作者索引—凡例 作者索引	作者索引—凡例，說明此一索引的編輯條例。 作者索引—以筆畫多寡安排。末附外文作者：一英文、二日文。
《中國寶卷總目》 車錫倫編撰❷	寶卷卷名首字音序序號索引 寶卷卷名首字筆畫序號索引 寶卷異名索引 寶卷收藏者索引	寶卷卷名首字音序序號索引—以注音符號排序。 寶卷卷名首字筆畫序號索引—以筆畫多寡安排，筆畫相同者，採用、（點）—（橫）｜（直）丿（撇）。末附西方作者。 寶卷異名索引—以筆畫多寡安排，筆畫相同者，採用、（點）—（橫）｜（直）丿（撇）。 寶卷收藏者索引—以筆畫多寡安排。 備註： 1.此一書目的索引，乃是附屬在「附錄」項目中。 2.索引使用說明，列在書前凡例中。
《日本儒學研究書目》	作者索引—編輯說明	作者索引—編輯說明，說明此一索引的編輯條例。

---

❷ 陳麗桂主編：《兩漢諸子研究論著目錄》（臺北：漢學研究中心，1998年4月）。
❷ 車錫倫編撰：《中國寶卷總目》（臺北：中央研究院中國文哲研究所籌備處，1998年6月）。
❷ 林慶彰、連清吉、金培懿編：《日本儒學研究書目》（臺北：臺灣學生書局，1998年7月）。

林慶彰、連清吉、金培懿編❷	作者索引	作者索引─以筆畫多寡安排，筆畫相同者，採用、（點）─（橫）｜（直）丿（撇）。末附西方作者。
《經學研究論著目錄（1988－1992）》林慶彰主編❷	作者索引─凡例 作者索引	作者索引─凡例，說明此一索引的編輯條例。 作者索引─以筆畫多寡安排，筆畫相同者，採用、（點）─（橫）｜（直）丿（撇）。末附西方作者。
《敦煌學研究論著目錄（1908－1997）》鄭阿財、朱鳳玉主編❷	作者索引─凡例	作者索引─凡例，說明此一索引的編輯條例。

　　從以上所舉例的「專科目錄」中，索引的檢索大致可分為「作者索引」、「標題索引」、「卷期及年月輔助索引」等不同類型。以下針對這幾種類型索引，分述如後：

　　(1)所謂「作者索引」，亦有稱人名、著譯者、筆名別號、論著作者、收藏者等不同之名稱。而同是以作者作檢索，亦有不同方式之檢索，誠如胡楚生〈專科目錄的利用與編纂〉一文所言：

❷　林慶彰主編：《經學研究論著目錄（1988－1992）》（臺北：漢學研究中心，1999年5月）。
❷　鄭阿財、朱鳳玉主編：《敦煌學研究論著目錄（1908－1997）》（臺北：漢學研究中心，2000年4月）。

以性質異同分類的目錄，也會附上一個「作者索引」，將
書籍或論文的作者，根據姓名的筆畫或拼音，列舉出來，
作為檢索資料時的幫助。㉕

由此可知，「作者索引」有用筆畫及拼音兩種不同的方式。而
「作者索引」採用筆畫者，通常亦有兩種方式：其一，先以部首作
一檢字總表，再依照作者首字筆畫多寡為次序排列，例如羅聯添《唐
代文學論著集目》、王民信《中國歷代詩文別集聯合書目》。或以
編號（即流水號）數目多少為序，例如張壽平《公藏先秦經子注疏書
目》。其二，直接以作者首字總筆畫多寡為次序排列，例如黃文吉
《詞學研究書目》、陳麗桂《兩漢諸子研究論著目錄》。另外，計
算筆畫多寡亦有差別，在六、七十年代多數採字典、辭典、電腦字
排列的順序㉖；在八十年代則多數採用、（點）一（橫）｜（直）丿（撇）
排列順序，例如林慶彰《經學研究論著目錄（1988－1992）》。至
於「作者索引」採用拼音者，通常以國語注音符號和羅馬拼音等方
式為常見，例如余秉權《中國史學論文引得》的檢索方式，即是以
羅馬拼音所編成。

(2)所謂「標題索引」，亦有稱卷名、異名等不同之名稱。據胡
楚生〈專科目錄的利用與編纂〉一文所言：

另外，像余秉權的《中國史學論文引得》，是以論文的作
者譯者作為敘次分別的標準，因此，在該書之末，便附加

㉕ 同註❶，頁31。

㉖ 「字典、辭典、電腦字排列的順序」，此「字典」多指康熙字典；「辭典」
多指中文大辭典；「電腦字」多指電腦字的排列順序。

了一種「標題檢字輔助索引」，以便讀者可以根據某些專
題或某些時代，檢索研究資料。㉗

由此可知，「標題索引」主要是爲方便檢索者所要查的專題資
料而設計。在編排方式上，多數是以標題首字筆畫多寡爲次序，例
如上述引文所提到余秉權《中國史學論文引得》，書後輔助索引（二）
「標題檢字輔助索引」，即是如此。

(3)所謂「卷期及年月輔助索引」，此一類型的索引比較少見。
據胡楚生〈專科目錄的利用與編纂〉一文所言：

該書（余秉權《中國史學論文引得》）之末，並且附有另外一種
「卷期及年月輔助索引」，讀者也可以據之以檢尋某一期
刊的各種論著，或某一年代，不同刊物的各種論文。㉘

由此可知，「卷期及年月輔助索引」主要是以方便查得某一時
期之論著、期刊等爲主的檢索方式，例如上述引文所提到余秉權《中
國史學論文引得》，書後輔助索引（一）「卷期及年月輔助索引」，
即是如此。

總結從六十年代至八十年代「專科目錄」書後輔助索引所呈現
的現象。

首先，一部目錄的輔助索引，在六十年代可能出現好幾種類型，
例如余秉權《中國史學論文引得》就有「作者索引」、「標題索引」
及「卷期及年月輔助索引」。八十年代以後，大部份都僅附「作者

㉗ 同註❶，頁31。
㉘ 同前註。

索引」這類檢索類型，例如洪順隆《中外六朝文學研究文獻目錄》，林慶彰、連清吉、金培懿《日本儒學研究書目》。

其次，在使用書後輔助「索引」前有一索引凡例㉙，以說明此一索引的編輯條例。六、七十年代索引凡例較爲繁瑣，體例亦較雜亂，例如余秉權《中國史學論文引得》中的「卷期及年月輔助索引說明」共有八條，每一條敘述均有若干行，條又分若干小點。八十年代以後索引的編輯條例，簡單明白，說明較有條理，例如林慶彰《經學研究論著目錄》共六條說明，每一條敘述皆用簡短文字來解說。雖然，書後輔助「索引」凡例說明要求簡單明白。但是，若凡例說明太過簡略，反而會讓使用者感到疑惑不解，例如鄭阿財、朱鳳玉《敦煌學研究論著目錄（1908－1997）》書後輔助索引凡例說明，僅有「一.本索引之姓名按電腦字序排列。二.外籍作者有中文譯名者，與國人並排，以便查檢。外籍作者則依英文、日文字序排在最後。」這兩點說明，若仔細翻閱書後輔助「索引」中的內容，像第四劃中有「不著名」這一條，共收錄一百三十九筆的資料，而所謂「不著名」究竟所指爲何？又像「王重民〔王有三〕、任二北〔任半塘〕、東山健吾〔鄧健吾〕、釋禪叡〔江素雲〕」，不知每位作者後之〔　〕內，所指究竟代表何種意義？以上所提這些問題，在書後輔助「索引」凡例說明中，並未詳細說明清楚。另外，值得注意的，並非所有目錄書後輔助「索引」前頭皆有凡例說明。有些是出現在目錄書前的「凡例」中，附帶說明此書所附的書後索引的

㉙　書後輔助「索引」前的凡例說明，此處所謂的「凡例」，亦有稱「說明」、「編輯說明」等。

編輯條例，例如林玫儀《詞學論著總目》❸即是如此。

第三，八十年代以後，對於同一作者又用本名發表或別號、筆名發表者，則以互註方式來處理，例如林慶彰《經學研究論著目錄》：「公木見張松如」等；對於不題作者或僧侶作者，亦有處理方式，例如林慶彰《經學研究論著目錄》：「四、各論文，有不題作者者，皆繫於七畫『佚名』下。五、僧侶之論文，以『釋××』發表者，皆排在二十畫『釋』字下。」

第四，書後輔助「索引」對外來作者，亦能注意到妥切排列，例如陳麗桂《兩漢諸子研究論著目錄》書後輔助索引，在末後附有「外文作者：一、英文，二、日文」。

總之，書後輔助「索引」雖僅是一部目錄書中小小的一個單元，但從六十年代至八十年代，亦發生不少變化，而且是往正面性的方向進展。

（二）「索引」的價值

「專科目錄」這類參考書，是爲了讓使用者能快速找到自己所要的資料，書後附有各種輔助的檢索「索引」，自然就是一部好的目錄書所該具備的條件之一；但這常常是大陸學者在編纂目錄書時最欠缺的考慮，林慶彰〈評《中國哲學史論文索引》〉一文提到：

> （五）、附錄未能前後一貫，索引檢查不便：根據第一冊的「編輯體例」，每冊後均附有「著譯者索引」。可是本書第一、二、四冊有索引，第三冊卻沒有。這是本索引最

嚴重的缺失。❸

「專科目錄」書後輔助「索引」的價值，在方便檢索我們所要找尋的資料。而「附錄未能前後一貫」，當然是欠缺考慮。書後輔助「索引」，究竟還那些價值？林慶彰〈專科目錄的編輯方法〉文中提到：

> 作者索引不但方便檢索某一作者論文的所在，也可以看出某一作者在此一領域中的成就如何。❸

又黃文吉《詞學研究書目》自序亦云：

> 一本完整的目錄，可反映前人研究的總成績，做學問能掌握前人的研究成果，立足自然崇高。❸

從此可知，「專科目錄」書後輔助「索引」，最能看出編纂者在這方面的用心，亦最能反映出學者在這一學科領域上的研究成果。例如林玫儀《詞學論著總目》中收錄有唐圭璋在詞學方面的作品❸，其數量達到三百八十二件；鄭騫在詞學方面的作品❸，其數量達到二百四十二件。此二位學者比其它被收錄的作者，作品數量遠遠超出許多，其代表的意義如何？數字自然會說話。所以說「專

---

❸　林慶彰：〈評《中國哲學史論文索引》〉，《鵝湖學誌》第9期（1992年12月），頁178。
❸　同註❺，頁70。
❸　同註❷，頁3。
❸　同註❸，頁2461。
❸　同註❸，頁2652。

科目錄」書後輔助「索引」的價值，「不但方便檢索某一作者論文
的所在，也可以看出某一作者在此一領域中的成就如何！」故亦能
提供我們若干前人研究成果的線索。

三、省思目前「索引」及展望未來「索引」

「專科目錄」書後輔助「索引」，主要是為了讓讀者在檢索上
更方便。那麼，省思目前輔助「索引」的缺失，應有其必要性。其
次，「專科目錄」書後輔助「索引」如何展現出其更大的功能，這
雖是前瞻性的課題，唯對索引學此一領域未來的發展應有助益；故
本文對書後輔助「索引」未來展望之探討，更有其必要性。

（一）省思目前「索引」

省思目前「專科目錄」書後輔助「索引」的角度，一方面是站
在使用者的立場；另一方面是站在編輯者的立場。

1.就使用者的立場而言

使用者在使用書後輔助「索引」時，常碰見的問題如下：書後
輔助「索引」採注音檢索時，遇到要查的字不會讀音，應該如何進
行檢索？例如：曠、穮、鐫等之讀音。書後輔助「索引」採部首檢
索時，遇到該字不知道究竟歸屬那一部首時，應該如何進行檢索？
例如：東、競、乳等之部首。書後輔助「索引」採作者或標題全名
檢索時，遇到對書名或作者所知很模糊，應該如何進行檢索？例如：
高大鵬《唐詩演變之研究——唐詩近代化特質形成初探》，其書名

字數達十八字之多,若是沒有一字不漏將書名記住,那麼恐怕很難找到這一本書。故在目前仍未見一套最好的檢索系統,可供讀者方便使用。

2.就編輯者的立場而言

檢視今日書後輔助「索引」,無論是採作者或標題檢索,台灣地區在八十年代以後專科目錄書後輔助「索引」,多採用筆劃多寡為排列順序,筆劃相同者,則採用、(點)─(橫)│(直)丿(撇)來作為排列的順序。仔細省思此種方式,、(點)─(橫)│(直)丿(撇)是圖書館為了讓上圖書館的讀者查卡方便,是一種為圖書館個別需要而改良的簡易分法❸;但中文正體字眾多,試想僅用這幾筆就能將全部的字體概括了嗎?其方法可謂相當簡陋,且並非專門為「專科目錄」而研發的一種檢索方式。因此,有心的編輯者自不能再依樣畫葫蘆,應用心研發一套最好的檢索系統,可供後來者方便利用。

(二)展望未來「索引」

展望未來「專科目錄」書後輔助「索引」的角度,是因目前「專科目錄」書後輔助「索引」不方便的立場而發,提出個人不成熟的淺見,希望能有助於集思廣益,共謀解決眼前的困境。解決之道:

---

❸ 張澤民:《圖書資料分類法》(臺北:浩瀚出版社,1986年9月增訂版),頁168。據張澤民言:「增進圖書館分類工作效能,擴大圖書利用範疇及圖書利用率,特就前列『圖書資料綜合分類表』款目計六千六百三十三條,依陳立夫先生所創『五筆筆順檢字表』,編輯『圖書資料綜合分類表索引』列後,俾使其發揮較高功能……。」

1.「關鍵詞」的建立

「關鍵詞」，即是「標題索引」，例如余秉權《中國史學論文引得》中的書後輔助索引附有「（二）標題檢字輔助索引」。但就一般使用者最直接的反應，認爲「關鍵詞」的建立是在電腦搜尋上的專利。可是「專科目錄」書後輔助「索引」若附有「關鍵詞」這一種輔助「索引」，亦能幫助我們快速找到自己所要的資料。

「關鍵詞」的建立，對使用者在不清楚作者的名字（或字號）、標題的全名或所要查的資料範疇很模糊時，最爲有效。例如高大鵬《唐詩演變之研究——唐詩近代化特質形成初探》其書名字數達十八字之多，讀者可能因爲書名太長而無法全部記住，若是建立「唐詩」、「唐詩演變」、「唐詩近代化」或「近代化特質」等「關鍵詞」，那麼就可以輕易地檢索到這筆資料。換言之，若是有「關鍵詞」的輔助索引，那麼就能省去從頭到尾一條一條翻閱找尋的死工夫。例如余秉權《中國史學論文引得續編》—歐美所見中文期刊文史哲論文綜錄之目錄，因爲沒有關鍵詞的設計，就是有如此的窘態畢現。

再者，上文云及「專科目錄」書後輔助「索引」的價值，最能反映出學者在這一學科上的成就。但對學者專業領域很陌生的初學者而言，在使用上就很有困難了。因爲據目前眾多的書後輔助「索引」，仍無法見到在此「專科目錄」所收資料中，某學者是那一方面論題的權威或其學術研究的傾向。例如在《經學研究論著目錄》中要找尋林慶彰的文章，據書後輔助「索引」雖可查到所收錄的作品數量，但卻無法從這些流水號中見到其所探討的論題，亦無法見

到其學術研究的傾向；甚至，還有其他學者評論林慶彰的文章。假使有「關鍵詞」的建立，則不僅能查到有關林慶彰本人的作品，還能見到他人評論的文章。

總之，若是「關鍵詞」建立非常完善，那麼只要檢索「專科目錄」書後輔助「索引」，即能見到學者獨到的研究或那一論題、人物最常被討論到。甚至，能一併查到這位學者的作品是否還有其他學者提出對他評論的文章。這自然也就提高了輔助「索引」之價值，而在功能上亦擴大了不少。國家圖書館的漢學研究中心在「典藏目錄及資料庫」❸❼中，即有七、八種的專科目錄及期刊論著的電腦查詢服務。其中，「關鍵詞」的建立，即是最方便使用者來使用。並且，亦能解決上述筆者所提出的問題。

2.發展一套屬於輔助「索引」的檢索方式

今日書後輔助「索引」，無論是採作者或標題檢索，多數利用筆畫多寡為排列順序。對於筆畫相同者，則採用圖書館常用分法的、（點）一（橫）｜（直）丿（撇）來作為排列的順序。此法在檢索上雖然可行，但是這一套方法畢竟是很簡陋的檢索方式。仔細省思，依照我們對文字的了解，是否應該發展出一套屬於「專科目錄」書後輔助「索引」的檢索系統，形成一種輔助「索引」的檢索特色。筆

---

❸❼ 國家圖書館的漢學研究中心在「典藏目錄及資料庫」收錄作品如下：「典藏國際漢學博士論文摘要資料庫」、「明人文集聯合目錄及篇目索引資料庫」、「兩漢諸子研究論著目錄資料庫」、「經學研究論著目錄資料庫」、「敦煌學研究論著目資料庫」、「外文期刊漢學論著目次資料庫」、「國際漢學資源機構資料庫」、「跨資料庫檢索」。網址：http : //ccs.ncl.edu.tw/data.html。

者在當許清雲教授助理時，曾經看到許老師所研發成功的「台英漢字離形檢索系統」。聽許老師說這套系統除可用在中文電腦輸入法上，還能運用在圖書、文獻的檢索❸。筆者覺得若採納許清雲教授的檢索系統，這應不失爲一種新的創見。

總之，省思未來「專科目錄」書後輔助「索引」的這二種解決之道，是冀盼能有一種真正屬於「專科目錄」輔助「索引」的檢索方式。另外，如何輔助「索引」檢索的功能性加強及檢索的範圍擴大，進而使「專科目錄」提升具有學術研究的價值，大家一起來共勉。

四、結　語

一部「專科目錄」的完成已經耗盡編輯者全部的精力，如何能將所收集的資料一一讓使用者在檢索的過程順利，其中亦可加強「專科目錄」書後輔助「索引」的編纂。胡楚生〈專科目錄的利用與編纂〉一文云：

---

❸ 台英漢字離形檢索系統，採用看圖取碼方式。只要有「金木水火土12345，卄糸日月竹67890；54321言手人心衣，67890山雨門女口。點捺1、二點2、三點3、四點4；3角連彎，4橫，5豎，6逆時折角彎，7順折角彎，8撇，9交」這一個口訣就能在電腦中處理中文漢字。詳見許清雲：《中文字離形數位化系統》和《台英離形數位輸入法》二書。（臺北：華嚴出版社，1999年12月）以及阿拉伯數碼精靈網站（http:home.kimo.com.tw/shuma123）。其檢索系統中的漢字數碼還可用來編輯圖書、文獻的檢索引得。據許清雲教授說，將來準備編成一系列圖書檢索（引得）系統，那是繼王雲五四角號碼和洪業哈佛燕京學社引得之後，另一種容易學習的數碼檢索系統。

　　專科目錄成書之後，爲了充分發揮易檢易用的功能，多具
　　備幾種輔助索引，就如同字典多具備幾種檢字的方法一樣，
　　自然是很需要的。㊴

　　此話道出「專科目錄」書後輔助「索引」的重要性。上文筆者
已經列舉在臺灣地區六十至八十年代之輔助「索引」的大致情況。
但我們必須強調的是，前人的輔助「索引」雖未必盡善盡美，然其
功不唐捐，亦不能完全抹煞。相同地，我們亦不能墨守成規的繼續
編輯一套不能易檢易用的輔助「索引」。

　　其次，「專科目錄」必須在檢索的功能性再加強，檢索的範圍
更擴大，這樣才能真正讓使用者受惠。如此一來，編輯者在收集資
料上雖備極辛苦，不就更有意義嗎？換言之，將輔助「索引」的檢
索功能性加強及檢索的範圍擴大，進一步對目前專科書後「索引」
存在的問題，尋求解決之道。那麼，「專科目錄」才能真正使使用
者達到「按圖索驥、檢索即得、省時省事」的目的，這亦是我們所
引頸期盼的。

㊴　同註❶，頁23。

評《經學研究論著目錄》
初、續編^❶

何淑蘋 *

書　　名：經學研究論著目錄（1912－1987）

主　　編：林慶彰

編　　輯：李光筠、張廣慶、陳恒嵩、劉昭明

冊　　數：2冊

出　版　者：漢學研究中心

出版日期：1989年12月初版，1994年4月第2版

---

* 東吳大學中國文學系碩士生。

❶ 在本文撰寫之前，相關評介兩部目錄的文章，計有：（1）林慶彰：〈經學研究論著目錄敘例〉，《漢學研究通訊》第8卷第3期（1989年9月），頁207－208；（2）邱德修：〈參考工具書選介〉，《漢學研究通訊》第9卷第2期（1990年6月），頁130－133；（3）連文萍：〈爲全天下做學問——林慶彰教授主編「經學研究論著目錄」〉，《文化通訊》第25期第3版（1995年7月19日）；（4）王俊義：〈搜羅詳備，嘉惠士林——評林慶彰「經學研究論著目錄」及其它〉，《炎黃文化研究》第4期（1997年12月），頁195－199。其中，林文即是「初編」之編者自序；邱文名爲工具書選介，實際上是在評介「初編」，在肯定初編價值外，也指出其中存在的幾項缺點；連、王兩文則側重在介紹經學目錄對於學界的影響。總之，上述諸篇，除邱文外，大都偏重於介紹而非評論，且未有對兩部目錄綜合探討者，故本文之撰寫，主要在綜論兩部目錄的得失，以補前人評介之不足，並提供目錄使用者及後續編輯者參考。

書　　名：經學研究論著目錄（1988－1992）
主　　編：林慶彰
編　　輯：汪嘉玲、侯美珍、張惠淑、游均晶
冊　　數：2冊
出 版 者：漢學研究中心
出版日期：1995年6月初版，1999年5月修訂再版

一、前　言

　　自民國七十六年林慶彰先生著手主持編輯《經學研究論著目錄》，迄今已逾十四年，在這十餘年間，《經學研究論著目錄（1912－1987）》（以下簡稱《初編》），於1989年12月出版，1994年4月修訂再版；《初編》以後，訂爲每隔五年續編資料一次，接續《初編》的《經學研究論著目錄（1988－1992）》（以下簡稱《續編》），於1995年6月出版，1999年5月修訂再版；承繼《續編》的《經學研究論著目錄（1993－1997）》（以下簡稱《三編》），亦將於2001年年底出版。從《初編》到《續編》，兩部目錄如何創始、延續、傳承和改良，這些發展變化的痕跡，值得我們去留意。

　　《初編》的出版，對於臺灣專科目錄的編輯，具有相當的「指標性」意義，探討《初編》的內容特色，有助於釐清它在近代專科目錄學史上的地位；其次，找出《續編》與《二編》在編輯上的差異，可以瞭解專科目錄在續編的過程中如何改進。總之，本文檢討《初編》與《續編》的優、缺點，旨在凸顯兩者間的差異，以強調

延續性專科目錄應有的繼承與進步。

　　《初編》、《續編》由漢學研究中心出版後不久即告售罄，兩部目錄分別於再版時將原書中的錯別字稍加修訂。本文撰寫以修訂版內容為據，依序指出《初編》、《續編》的優、缺點；其次，漢學研究中心規劃之《經學研究論著目錄》資料庫已經建構完成，並開放讀者檢索使用，本文將簡略介紹其功能，並論及電腦檢索系統與紙本目錄間的關係；最後，在針對兩部目錄內容評論外，提出幾點涉及經學相關資料蒐集類型方面的問題，就教於編者及諸位學者專家。

二、《初編》的優點

　　自國民黨遷臺後實施戒嚴，大陸地區的出版品長期以來不得在臺流通，海峽兩岸資訊隔絕多時，國內對於大陸方面的資料，仍如同林慶彰先生所形容的：「擁有大陸出版品的圖書館僅有寥寥數家，收藏資料也相當有限；且受戒嚴心理影響，借閱手續繁瑣。」（《初編·再版序》）不僅相關資料有限，要翻檢查閱也因為各單位的繁瑣規定而備增困難，所以臺灣早期出版的目錄，多數只利用本地的出版品及期刊論文為主要的編輯材料，至於大陸地區的論著，往往礙於蒐集困難的緣故，而未加採用。

　　民國七十六年四月，《初編》在林慶彰先生的主持下，開始進行資料的編輯工作，當時臺灣尚未解嚴，兩岸的交流仍未開放，但《初編》無視於資料蒐集的困難，毅然決定將大陸資料一併收錄，成為兩岸隔絕以來，第一部合編兩地資料的經學專科目錄，在當時

可謂深具前瞻性，而這種收錄資料的規模也成爲爾後專科目錄的先
導。

除了奠定匯編兩岸資料的規模外，《初編》所訂立的體例，同
樣也成爲其它目錄參考、取法的對象。藉由下面所列舉的編輯特色，
可以看出《初編》之所以能成爲指標性目錄的價值處。

（一）體例方面

1.叢書、論文集的處理方式。一是裁篇別出，分散歸入相關研
究類目中；一是放入論文集題名所屬大類最末之「叢書、論文集」
下，完整呈現論文集之目次內容。例如：《詩經研究論集》（臺北：
黎明文化事業公司，1981年1月）收錄熊公哲、黃永武等人論文共計三十
五篇，除了要將整本論文集的細目列出置於「詩經──叢書、論文
集」下，另外還須將三十五篇文章依其研究主題散入各類目中。這
種一式兩份的作法，雖然多增加一道編輯手續，但更能符合讀者使
用上的需求。

2.相較於其它目錄的編輯者多喜用符號、簡稱，《初編》卻是
力求著錄項的標準、統一，包括期刊、出版社、頁數等，都儘量使
用全稱。例如期刊方面，大陸期刊往往又區分「文史哲版」、「社
會科學版」、「哲學社會科學版」等不同的版名，一般目錄常常使
用「文哲版」、「哲社版」等簡稱，而《初編》則避免使用簡稱，
儘量將版名還原。

（二）類目方面

除十三經之外，「大戴禮記」因與《禮記》相關，附於其末；

「讖緯」與經書關係密切，於十三經後特立一類收錄相關資料。可知編輯者必然實際考量到研究的相關性，所以在準備編輯的前置作業時，對於收錄資料範圍，能有周詳的規畫。

（三）內容方面

1.《初編》是第一部將專書及單篇論文合編的經學目錄。中國目錄學史上，體例最完整的經學目錄應推清人朱彝尊所編的《經義考》。《經義考》卷帙雖然多達二百卷，但只收錄屬於專書性質的著作，至《初編》始因應時代的需要，開創先例，將專著和論文混合編排，使讀者在參考上獲得更大的便利。

2.戒嚴時期，大陸地區出版品禁止在臺流通，出版社於是想辦法「改頭換面」，或改易作者姓名，或變化書名，內容文字牽涉馬列主義言語的也往往加以刪修，於是出現了臺灣特有的「偽書」現象。《初編》將經過偽造竄改的書名、作者歸納、還原，有助於釐清臺灣出版史的真面目，更符合目錄「辨章學術，考鏡源流」的功能。例如：第02074條「高亨《周易古經今注》」項下，除詳細記載各家版本外，又註明了那些出版社是「改作者為張世祿」、「作者和書名改為張世祿注解、甘志清校定：周易新解」、「改作者為馬偉正」等，將出版社擅自造偽的情形皆予一一註出，便於學者辨識。

自《初編》出版以後，因為編輯的用心和體例的嚴謹，受到兩岸學界普遍的肯定，此後漢學研究中心陸續審訂出版的多種專科目錄，例如陳麗桂教授主編之《兩漢諸子研究論著目錄（1912－1996）》（臺北：漢學研究中心，1998年4月）、鄭阿財教授主編之《敦煌學研究

論著目錄（1908－1997）》（臺北：漢學研究中心，2000年4月）等書，皆仿照《初編》之體例及編排方式。其它非漢學中心出版之目錄，在編排體例上亦多有參考《初編》者，例如黃文吉教授主編之《詞學研究書目（1912－1992）》（臺北：文津出版社，1993年4月）、林玫儀教授主編之《詞學論著總目（1901－1992）》（臺北：中央研究院中國文哲研究所籌備處，1995年6月）等書。總之，《初編》以其嚴謹的體例及豐富的資料內容，成為其它目錄編輯者仿效、借鑑的典範，對於臺灣專科目錄的編輯，確實產生相當的影響，並從而奠定了《經學研究論著目錄》在近代專科目錄學史上的地位。

三、《初編》的缺點

　　邱德修先生曾撰〈參考工具書選介——林慶彰主編經學研究論著目錄〉一文，提出《初編》的六項缺點，包括：「同類欄內編排沒有定則」、「體例無法統一」、「時代誤植」、「溯源未盡」、「猶有漏網」、「沒有題目筆劃索引」，所評大抵確切公允，唯其中所舉例證有未必適當之處，或僅提出質疑而沒有進一步建議改進的方法。以下先針對邱文稍作辨明。

　　1.邱文舉出「以本書標註經學研究論著的頁碼為例，就發現有三種現象」，是體例未統一的表現。第一種現象「頁某某－某某」，確為《初編》的通例，至於第二種現象「計幾頁」，乃是因為有些作者或限於投稿篇幅、完成的先後等原因，將同一篇論著拆成兩篇以上分開發表，所以編者採用合計各篇頁數的方式著錄，這與前一種單一出處的現象情形不同，如此有助於讀者了解該論題發表的總

頁數，所以這種處理方式雖未盡理想，卻也未嘗不可，可以視作變例；至於第三種現象「沒有注明頁碼」，其實是編者沒有實際抄錄到該條論著而不得已從缺，並不能算是體例之一。因此，頁碼著錄方式分爲三種各有其原因，並不能視爲體例不統一的缺點。

2.邱文說：「本書每經之下均設『某某研究史』之例，唯「石經」這一章沒有『石經研究史』一節，不知何故？不無體例不醇之嫌。」這是不明編輯分類造成的誤解。《初編》於石經一章，依序分爲「通論」、「漢石經」、「魏石經」、「唐五代石經」、「宋石經」、「清石經」等類，既然已將各朝石經視作專門類目，又何煩再別立「石經研究史」一節？

3.邱文認爲：「『三禮』之中，只在『儀禮』下立有『目錄索引』一項，而在『禮學通論』、『周禮』、『禮記』、『小戴禮記』均未列及，誠有百密一疏之感。」要補充說明的是，「儀禮——目錄索引」項下收有相關論著兩條，其中一條爲哈佛燕京學社引得編纂處編輯之《儀禮引得》，實際上《初編》也收錄了《周禮引得》和《禮記引得》，但因爲《周禮》類似性質的著作僅只一條，所以併入「概述」，放在最後面；至於《禮記》相關的資料有三條，卻也併入「概述」末，很明顯是《初編》分類上的錯誤，應另立目錄索引一項才是。

除了邱德修先生所舉出的幾項外，《初編》的錯誤尚有下列數點可以補充：

1.條目歸類不當。例如第12931條，王更生〈文心雕龍述孟子考〉，歸入孟子研究史之「漢代」，應移置「魏晉南北朝」下，似較妥當。

2.出版地著錄不齊或訛誤。《初編》於大陸出版之專書，往往漏記出版地。這類錯誤現象頗多，例如：頁280第04712條「上海古籍出版社」前應補記「上海」、頁405第06929條「上海人民出版社」前應補記「上海」等；另外有訛誤者，例如頁281第04739條「山東」應改作「濟南」、頁531第08913條「山東濟南／齊魯書社」應刪去「山東」二字、頁647第10943條「北京人民出版社」應改作「北京／人民出版社」等。

3.前面提到《初編》特色之一，即是詳細註明竄改情形，但偶有未臻完善之處。例如頁274第04607條記載謝无量《詩經研究》一書的版本達七家之多，其中臺南綜合出版社妄改作者為「胡子成」，《初編》加以辨明，有助於版本的釐清，但是此書原為謝氏勦襲日本學者諸橋轍次《詩經研究》一書，加以節略而成，本身已有剽竊偽造之嫌，《初編》若予註明，更能符合目錄「辨章學術，考鏡源流」之旨。

4.「收錄期刊一覽表」內的錯誤，大概有三種情形：(1)排列順序錯置者，例如頁830「中文學會學報、中日文化、中文季刊、中文學會年刊」，依照筆劃多寡應改為「中文季刊、中文學會年刊、中文學會學報、中日文化」；(2)體例不一者，例如頁831「中國文字」未註明創刊時間、出版地，反而寫「收第5期論文1篇」，又頁843「吉林省圖書館學會會刊」未註明創刊時間及出版項，反而寫「收1980年3期論文1篇」，可知《初編》凡刊物被收錄篇數僅一、二篇者，不寫明出版項，只寫出被收錄的某期期數，如此便與大部分刊物著錄方式不一致；(3)漏收者，例如在頁286第04833條所引期刊為「史苑」，頁298第05027條所引出處為「古今文選」，這兩種

刊物在一覽表上都沒有被列出來。

5.「作者索引」內的錯誤。例如頁906左欄「丁惟汾」下又列「丁惟芬」，兩者實爲同一人，因「芬」字誤，故錯分爲兩人。

四、《續編》的優點

延續性目錄指某主題的研究目錄編成以後，每年或每隔幾年對後續出現的資料再行編輯，由於前有所承，體例、類目、引用資料等方面都有依循參考的對象，可以省卻不少摸索、嘗試的時間，但大部分續編的目錄正因爲有所憑藉，所以體例幾乎完全仿照前編，僅對前編失收的部分條目稍加增補，很少有再檢討、修正的。《經學研究目錄》屬於延續性的專科目錄，後續編成的《續編》、《三編》等，大抵也是沿襲《初編》所訂立的體例，並增補《初編》失收的部分條目，尤其《初編》出版後不久，兩岸開放交流，有不少漏收的條目得以增補入《續編》內。另外，《續編》會隨著編輯者經驗的持續累積，以及實際著錄的資料內容，而有所改動、增刪，這是《續編》最應被肯定的價值所在。將《續編》與《初編》相比較，可以從兩者間的差異，看出《續編》在傳承之間的進步，以下簡略說明其優點。

（一）體例方面

1.條目編排上，《初編》將作者、篇名、出處排列於同一行，《續編》則挪動出處，使其另起一行，使版面編排更清楚，便於讀者瀏覽。

2.著、譯者或撰著、點校整理者，兩姓名間用逗號（，）區隔開。例如頁143第02001條「岡田武彥撰，吳光、屠承先、錢明譯／王陽明與明末儒學中文版序」、頁66第00914條「王充撰，陳蒲清點校／論衡」等。

3.專書總頁數，由「頁」改為「面」，除了藉以和期刊、單篇論文之起迄「頁」有所區別外，更是為了要配合圖書編目的潮流，即現今臺灣出版品在版權頁都會附有「國家圖書館出版品預行編目資料」，皆是標舉專書之「面」數。

4.《續編》在每一頁的旁邊（即書耳處）都加上當頁所屬的「類目」，方便讀者翻檢。

5.著錄項凡期刊卷、期前皆增加「第」字，更符合期刊著錄的原貌。例如《初編》寫作「9卷3期」，《續編》改為「第9卷第3期」。

6.《孔孟月刊》著錄原為「卷、期」，《續編》另外補入「總期數」，便於讀者查閱。

（二）類目方面

將《初編》和《續編》的類目相比較，可以明顯看出《續編》分類趨於細密，一方面顯示出編者的用心，同時也反映出學界研究的動向。

1.增加序號。《續編》在部分的類目加上序號，例如《周易》六十四卦和《詩經》三百零五篇等，便於讀者查檢。

2.細分類目。《初編》原本只分《詩經》為十五國風、大小雅、三頌幾個大類，至《續編》則更細分成三百零五篇，繫相關論著於其下，使讀者能清楚掌握各篇研究成果的多寡。

3.刪改類目。《續編》對於《初編》的部分類目有稍作刪改，例如《初編》在「群經總論──通論」下有「釋經名」，《續編》無，相關條目則併入原有的「概說」中；且《初編》類名原作「經學概說」，《續編》略去不必要的「經學」二字，更爲適當。

4.增加類目。《續編》在《初編》的基礎上增加新類目，主要的目的是使與經書研究的相關資料條目能盡量收羅進目錄中，並有適合的類別位置。例如「群經總論」下新加入「經書人物」和「分類研究」兩類，前者指經書中常討論到歷史人物，如舜、紂等，後者指十三經中包含的各種問題，如天文、政治、軍事等；又「經學史」下詳列從先秦至民國的經學人物，盡量收錄個別經學家生平傳記、學術著作等，提供研究者基本資料蒐集很大的便利。

5.注意相關細目。「經學史」除各朝總論及歷朝經學家外，對於相關論題及學術派別等也都特別另立類目，相關論題如「大禮議」，學術流派如「浙東學派」、「乾嘉學派」、「揚州學派」等。

6.特立適當類目。例如《續編》於《周易》類，在「叢書、論文集」外，又增加「期刊」，將劉大鈞主編的《周易研究》（濟南：周易研究中心）每一期目次逐一列出，因爲《周易研究》雖爲期刊，但內容專門討論《易經》學，實與「論文集」性質相近，而且學術性較高，所以特立一類加以收錄，以便讀者查閱。

7.改變類目名稱。例如將「論語」一類改爲「孔子與論語」，《初編》凡與孔子相關的研究資料，皆混雜入論語中編排，《續編》則分別散入「孔子與論語──孔子總論」與「孔子與論語──孔子與文化傳統」內，分類更爲精細。

8.改動類目層級。例如《初編》在「四書」大類下，包含：一、

四書總論；二、論孟合論；三、論語；四、孟子；五、學庸合論；
六、大學；七、中庸。《續編》則將「孟子」、「大學」、「中庸」
改爲和「孔子與論語」同一層級，這樣更符合四書各自獨立成經，
蔚附庸爲大國的學術發展脈絡。

五、《續編》的缺點

　　《續編》編輯時間約兩年，但因最後校對匆促，錯字頗多，再
版時已作修正，故本節所論，以修訂本爲據。另外，這樣一部多達
一千多頁的目錄，個別的錯誤在所難免，故偶見的錯字或單一的訛
誤情形，不在本節的討論之內。以下檢討《續編》部分可以商榷或
改進之處，至於沿襲自《初編》而《續編》未改動的問題，則視同
《續編》存在的問題，一併加以討論。

（一）體例方面

　　1.超收年限外條目。《續編》多收了部分屬於1993年的資料，
於凡例所訂的收錄年限不合。例如：第07017條吳宏一著《白話詩
經》一書爲1993年5月出版；《中國經學史論文選集》（臺北：文史
哲出版社）上冊於1992年10月出版，但下冊是在1993年3月才出版，
《續編》將兩冊內容一併裁篇收錄；第09783條林葉連著《中國歷
代詩經學》爲其1990年完成之博士論文，而臺灣學生書局於1993年
3月出版成專書，《續編》亦加著錄。這種超收年限外資料的現象，
在《三編》出版之前，確實有利於讀者掌握更多的資料，但是由於
《經學研究論著目錄》是延續性目錄，前一編已收錄的資料，應該

不會在下一編重複出現，那麼讀者若單獨利用《三編》查閱1993年間出版的研究論著時，便不會翻檢到這些被《續編》著錄的1993年資料，這樣容易造成讀者的困擾。

2.古籍重印。古籍若未加標點、整理，純爲重印者不予收入，雖未在凡例中規定，但應該也是編輯時所遵循的原則，否則古籍重印本眾多，且一般的古籍重印在學術上的價值亦不高，應不必特別收入。然而《續編》中收有多條這類普通古籍重印的條目，例如：頁440第06020條爲臺北新文豐出版公司出版的朱熹《周易本義》，是古籍重印本；又如頁508第06690條爲上海古籍出版社出版之閻若璩《尚書古文疏證》（1987年12月），此書亦非新校標點本，爲古籍重印本。另外，有屬今人整理本而未寫明整理者，易讓讀者誤爲古籍重印本，例如頁509第06701條著錄爲北京中華書局出版的《今文尚書考證》（1989年12月），作者項作「皮錫瑞」，實則本書爲盛冬鈴、陳抗點校本，《續編》未載明。又例如第10026條著錄爲武昌華中師範大學出版社出版之「焦循」《毛詩補疏》（1986年7月），實則本書爲晏炎吾等點校本。

除了上述兩點外，關於學術研討會論文集的著錄方式，筆者抱持與《續編》不同的看法。學術會議若有論文集正式出版，是否還要將會議舉行的日期或開會時所用的論文集著錄出來？《續編》採用的方式是全部列出，筆者以爲研討會論文如果沒有正式出版論文集，會議舉行的時間或開會用的論文集的確應該著錄，這樣可以讓讀者了解相關的研討會曾經舉辦過；但是如果已有正式的研討會論文集出版，其實就不必再將原會議舉行時間或開會時使用的論文集版本著錄出來，因爲：第一，一般的讀者若非親自參加該項會議，

往往不可能擁有該場次會議論文，而開會時使用的這類論文集如果沒有正式出版，通常也不太可能被收入圖書館館藏中，大部分的人是不容易看到或找到的；第二，會議主辦單位通常會請作者在會議舉行過後對論文集稍作修改，然後才集結成書，亦即正式出版的論文集與開會時所用內容文字已稍有出入，一為定論，一為初稿，不宜視作相同著作。總之，讀者容易尋得的是正式出版的論文集，而開會用的論文屬於舊版，且訪求不易，一併著錄出來其實沒有多大的意義，故筆者認為此種著錄方式可以商榷。

（二）類目方面

1.《初編》於經學史僅以歷朝作類目，至《續編》以各朝經學家為目，將經學家之傳記生平資料儘量收錄，是分類上異於《初編》的最大地方，如此一來，雖然在編輯上需花費更多的心力，但是卻能夠讓讀者在掌握經學研究成果之外，又有傳記、著述等基本資料可供參考，省去蒐集材料上的不少時間。不過，由於《初編》沒有列出經學家名字作為類目，《續編》必須依據書卡實際抄得的資料立目，然而如何判斷該論文研究主題屬於經學家，則考驗編輯者的功力了。《續編》羅列的歷朝經學家計有291人，但仍有不少遺漏，例如宋代之「劉敞」，明代之「鍾惺」、「馮夢龍」，清代之「徐乾學」、「翁方綱」，民國之「曾運乾」等等，皆是《續編》未收傳記資料的經學家，這些學者都非默默無名之輩，以常理而論不可能沒有相關的研究論文，應該是編輯時未加留意所致。另外，《續編》將《李光筠先生紀念集》中的相關經學條目分別裁入各類，卻沒有將「李光筠」（1958－1992）本人收入民國經學家中，是編輯

時的疏失。

　　2.十三經研究史內有「六朝」一類目，六朝歷來即有「南六朝」、「北六朝」等多種說法，以收錄資料而論，不如改作「魏晉南北朝」較爲適當。

　　3.分類上的缺失。例如「經書人物」僅列出顓頊、舜、鯀、禹、武丁、紂、周文王、周武王、周宣王、周平王等十位，諸如伏羲、黃帝、堯、商湯等皆屬重要人物卻未列入；「經學史」先秦部分列出周公、孔子、子貢、子夏、荀子，實際上「孔子」條目可以併入「孔子與論語——孔子總論」下，「子貢」、「子夏」條目可以併入「孔子與論語——孔子總論——學團與弟子」下，不必另外獨立成類。另外，有《初編》、《續編》分類不一，未知孰是者，例如「周易研究史」與「易圖書學史」兩類目有相近處，邵雍《易》學及其《皇極經世書》之相關研究資料，《初編》置於「易圖書學史」下，《續編》卻移入「周易研究史——宋代」下。

　　4.類目詳表的錯誤。類目作爲分類條目的依據，其重要性自不待言，所以其中個別訛誤，也應特別舉出。例如頁2宋代蘇洵生年誤作「109」，應改爲「1009」；頁3宋代張九成姓名誤作「張久成」；頁3明代孫應鰲卒年誤作「1584」，應改爲「1586」；頁3明代張岱卒年應爲「1685」，而非不詳。

（三）内容方面

　　1.《初編》抄自《孔孟月刊》的條目，著錄方式原作「卷、期」，《續編》新增加「總期數」，便於讀者查檢，可惜有部分條目遺漏了，若校對時注意統一，應可避免此項錯誤。例如：頁189第02620

條、頁734第09809條、頁968第12970條等。

　　2.關於碩博士論文，著錄項只有學校名稱、畢業年度、指導教授，沒有包含「出版地」和「總頁數」，實爲美中不足之處。碩博士論文性質實近於專書，《續編》凡專書、論文集都有著錄出版地，另外，臺灣地區的學位論文多數可以在國家圖書館尋得，實際抄錄總頁數應該不會有困難，因此，學位論文不妨加入出版地和總頁數，使著錄項更統一、完整。

　　3.部分條目誤入它類。例如頁560第07385條篇名爲「綠衣」，《續編》誤排入「柏舟」類末；又例如頁561第07404條篇名爲「日月」，《續編》誤置於「燕燕」類末。

　　4.部分相同論著的條目有重出或遺漏歸併的情形。例如頁732第09785條爲：

　　　　蔡守湘主編、江　風副主編　歷代詩話論詩經、楚辭
　　　　　　　武漢　武漢出版社　314面　1991年6月

又同頁第09792條爲：

　　　　江　風、蔡守湘主編　歷代詩話論詩經楚辭
　　　　　　　湖北　武漢出版社　314面　1991年6月

後者顯係重出條目，且出版地不應作「湖北」。又例如頁967第12956條爲：

　　　　蘇新鋈　孔孟論仁意趣的同異
　　　　　　　學叢　第3期　頁75－98　1991年12月

而頁968第12968條爲：

> 蘇新鋈　孔孟論仁意趣的同異
>
> 　　先秦儒學論集　頁85－109　臺北　文津出版社
> 1992年12月

兩筆資料的篇名相同，後者顯係被遺漏歸併的條目。

　　5.專書頁數的著錄方式。《初編》、《續編》對於專書的頁數，都是以總頁數來表示，沒有詳明目次頁。目前圖書館的線上檢索系統，對於專書頁數大部分都會註明目次頁，可知目次頁的著錄有其需要。

　　6.作者姓名有著錄錯誤的情形。第一，單純的錯字，例如第02744條作者祁龍威，祁誤作「祈」；第二，非簡體字而妄改爲繁體字，例如將大陸學者「朱杰人」先生誤作「朱傑人」，翻查《續編》作者索引沒有「朱杰人」，而「朱傑人」之論著則有十二條（見頁1215「朱傑人」條），故知《續編》於內容皆誤作「朱傑人」；第三，簡體字未改爲繁體字，例如第01519條作者爲「周滌」，「滌」爲簡體字，應改爲繁寫之「滌」字。要特別注意的是，因爲作者索引是依據目錄內容實際編製而成的，所以如果作者索引一旦有誤，本文該條目的著錄必然也非正確。

　　7.期刊標示的遺漏。例如同名爲「中國語文」有兩種，一爲北京中國語文雜誌社出版，一爲臺北中國語文月刊社出版，期刊一覽表中以「中國語文（臺北）」、「中國語文（北京）」表示，但翻檢《續編》，往往有漏標北京者，例如頁573第07565條等。

（四）附錄方面

1.收錄論文集一覽表內的錯誤。例如頁1180有「毛子水先生九五壽慶論文集」，出版社誤作「幼獅文化公司」，正確的全名應改爲「幼獅文化事業公司」。

2.作者索引內的錯誤。例如《初編》作者索引凡例第二條爲：「西方作者，依中文譯名之筆畫順序和英文字順序，排在最後。有中文名之西方作者，則與國人並排，以便檢查。」《續編》亦沿襲之：「西方作者有中文譯名者，與國人並排，以便檢查。西文名字，則依字順排在最後」。但翻檢《續編》，例如頁1284左欄「榮格樓格, C.G.」、同頁右欄「赫爾曼·埃爾·西奈庫」、頁1297右欄「霍爾茲曼, D.」等等，應移置於作者索引末之「西方作者」項下。查《初編》於此無誤，而《續編》將姓氏中含有漢字之西方作者往往誤排入一般索引之內。又例如頁1246「高專城」下有11929、11933兩條資料，實際翻檢後見第11929條作者爲「高專誠」，第11933條作者爲「高專城」，顯然索引與內文文字有出入，經查核資料後可知作者應題爲「高專誠」，索引、內文併有誤記。

六、關於經學研究論著目錄資料庫

隨著網路資訊科技的發展，電腦運用在人文學門上的功能，目前最具體的成果是資料庫的建構。凡由漢學研究中心出版之目錄，皆已陸續建置完成資料庫，掛上網頁，提供讀者多項檢索服務。《經學研究論著目錄》初、續編的紙本內容，已經建成資料庫並啓用，

故本文評論紙本內容外，順便也談談資料庫的使用情況，並試論兩者間的關係。

漢學研究中心資訊網（http://www.ncl.edu.tw/f9.htm）將《初編》、《續編》兩部目錄共35993筆資料建成「經學研究論著目錄資料庫」，開放民眾使用。此資料庫在操作上相當簡單，提供了多樣的功能。在檢索方面，包括作者、篇名、期刊名、主題、關鍵字等多種方式，大抵已涵蓋使用者檢索的基本需求，使用者只要在「任何查詢詞」一欄中鍵入相關字元，再按下「執行檢索」，即可獲得所需資訊，再加上交叉查詢的功能，十分快速方便；各種檢索之外，另有「階層索引」的功能，使用者可以在「類目詳表」的層層顯示中，選出想找的類目所包含的全部資料；在資料顯示方面，則有「表格式」與「條列式」兩種，讀者可以選擇適用的方式進行檢閱；另外，經由網路檢索得到的資料，資料庫提供了「下載存檔」（存入磁片）、「下載印出」（直接列印）、「資料寄回」（利用E-MAIL寄回使用者電子信箱）等功能。

《經學研究論著目錄》原本只附有「作者索引」，建構完成的資料庫系統提供了多種的檢索方式，正好補足紙本的不足。不過經過實際操作系統後，筆者發現幾點問題，或可提供漢學研究中心作為改進的參考。第一，資料庫中有部分難字無法順利顯示出來，而以「○」表示❷，例如作者姓名華仲麐之「麐」字；第二，「出版

---

❷ 依筆者猜想用「○」顯示，可能是未造字先用此符號代替，另一個可能性是電腦公司已造新字但因使用者電腦系統不同而無法成功顯示，若是前者的緣故，希望這種情形能早日改善，讓資料庫趨於完善，以利讀者使用；若是後者的緣故，電腦公司是否考慮應該提供讀者「造字庫」的下載？

年」一項，將年月以阿拉伯數字合寫，例如作「199204」，很容易令讀者混淆不清，不妨以「年」、「月」等國字區分一連串的數字，或以「冒號」（：）區隔年、月，似較妥當；第三，資料庫有部分資料輸入錯誤或遺漏，例如《續編》紙本頁1048第13974條期刊名為「東岳論叢」，資料庫誤作「東岳叢書」，所以連結查詢時，找不到其它出處相同的論著，又例如《初編》頁534第08970條內容，資料庫遺漏著者和篇名，這類情形只要在輸入資料建檔時多加校對，就可以儘量避免錯誤的發生；第四，資料庫未能將《初編》、《續編》中不同的著錄條目加以整合、統一，例如同名為「中國語文」的期刊，有北京中國語文雜誌社出版和臺北中國語文月刊社出版的兩種，《初編》將其中一種標示為「中國語文（北京）」，以與臺北出版的相區別，《續編》則將兩種刊物都加註明，以「中國語文（臺北）」、「中國語文（北京）」表示，可知兩編的著錄方式略有不同，資料庫沿襲各自的方式而未加以統一，容易造成檢索上的困擾。

　　筆者以為，資訊系統是未來社會發展的趨勢，對於文史哲學門而言，電腦系統雖不致足以完全取代紙本，但紙本所不足的功能將可由電子系統所輔助，兩者互補是學術研究的必然發展。舉例而言，包括「題名檢索」、「關鍵字檢索」、「摘要或全文顯像」等，都是紙本礙於本身局限性，所不能或不易提供的特定功能，資訊網路以其檢索速度及資料庫連線等特色，正好可以彌補紙本的缺陷；而電子網路因其設定或規劃的局限性，有時亦不能盡合讀者的需求，這些不足的部分則需仰賴紙本。以《經學研究論著目錄》為例，儘管資料庫系統擁有檢索多樣、方便、快速等優勢，但紙本的存在仍

有一定的價值，除了可以覆核資料庫的正確性外，讀者欲利用目錄以「辨章學術，考鏡源流」，憑藉的應該是對紙本內容的反覆閱覽、研析，而非依靠資料庫經選擇、設定字串後所呈現出單一、特定的檢索結果。所以目錄紙本與資料庫的功用是相輔相成的，即使資料庫系統再完備，紙本的出版發行仍有必要性，其功效不應被抹滅。

七、結　語

　　《經學研究論著目錄》的編輯，在體例上已較兩岸所編其它專科目錄更為嚴謹，因此才能受到學界普遍的肯定，至於其收錄資料範圍涵蓋兩岸，內容之豐富，更是無庸置疑。不過就收錄內容方面，筆者長期以來存有一些疑問，希望提供《經學研究論著目錄》的編者或使用者大家一起思考看看。

　　第一，宗教界人士或團體編撰的著作，有時性質與經學相近，或內容雜揉各家通說，與經書思想關係密切。例如一貫道標舉三教同源，對於部分儒家典籍特別強調其勸世功用，尤其對《四書》、《孝經》相當重視。這些宗教界出版、與經書有關的著作，或引用經書文句作為論證，或參雜宗教哲理來注解經書，以勸人向善為宗旨，經學只是被視為宣導思想的利器而已。雖然這類著作通常不能被視為正式學術成果，但可以從其中了解經書文字或思想與宗教結合的方式和變化，這應是值得研究的課題。

　　第二，坊間通俗性的經學讀物、讀本，往往不會見藏於各公私學校圖書館或學術研究機構，但其影響性未必很小，因為家長或學童通常不會挑選學術性高的著作來閱讀，反而會選擇這類坊間常

見、流通量大，又容易取得的讀本，作為入門的基本教材。這類著作包含翻譯、注釋、導讀、思想闡發等內容，對一般民眾或學童的影響往往比學術專著來得深遠，然而品質良莠不齊，卻沒有適當的學術機構或管理單位作出檢討、評量，讓民眾有參考資詢的依據。雖然這類經學讀物也不算是正式的學術成果，但是可以從著作的內容和出版的情形，進一步探討基本讀物與經書推廣間的關係等問題。

第三，《易經》類除了一般學術性著作外，坊間可見屬於術數類或講求實用性、應用性的相關書籍，出版銷售的數量頗多。這些著作雖然在品質上或許不足以視作一地、一時學術研究水準評量的參考或依據，但從它們流通的層面和市場需求的程度，可以藉此探究《易經》在現代的運用方式、實用《易》理的影響力和當代《易》學熱的形成等問題。

第四，儒家類的論著成果越來越多，以近年為例，探討儒學與未來社會、儒學與經濟發展、儒學與二十一世紀關係等被視為兼具回顧檢討與前瞻性的論題，受到熱烈的討論，甚至舉辦相關的研討會，產生不少數量的論文，但至今還沒有相關目錄將這些資料加以編輯，提供學界參考。雖然儒學、儒家與經學關係密切，但是依據目前《初編》、《續編》所列類目來看，大部分題名屬於儒學類的論著，沒有適當的類目可以加以歸併。這顯示出儒學與經學雖然性質十分相近，但相互間仍有所區別，因此從《初編》到《續編》，都沒有特立儒學類收錄相關資料。

以上提出的幾種資料類型，都不在《初編》、《續編》蒐羅的範圍之內，主要是因為，與一般期刊或學術論著相比，前三種資料

實際上都是不易尋得的，因為這類書籍流動性（再刷、再版）高，又沒有圖書目錄、出版目錄可供參考；至於第四種則是因為資料的性質相近但又有差異，在顧及研究主題的純粹性下，必須割愛，對於讀者而言，殊為可惜。

然而仔細思考，這些資料類型都有助於讀者了解經書在民間流傳的讀本內容、宗教對經書文字或思想的引用或轉化等問題，而且往往是研究者最不能清楚解說或掌握的部分。《經學研究論著目錄》的體例自《初編》奠立基礎，經過《續編》再加改良，就經學專科目錄而言，大抵已趨於完善的規模了，那麼《續編》之後的編輯者，除了遵循前編的體例外，似乎可以考慮資料類型增加的可行性。上述前三種，雖然很不容易蒐集齊全，但若能盡可能的蒐羅，對於相關研究者的助益必然不少；至於儒家類著作，依目前《經學研究論著目錄》的類目是沒辦法編入的，除非在經學總論之外另立儒家一類，但這樣一來，資料龐雜的儒家類不免使純粹的經學目錄變得有爛收資料之嫌❸，最好的解決方法，也許是期盼願意另外編輯一部儒學研究論著目錄的有心人出現了。

筆者曾經實際參加目錄編輯工作，深知其中過程的甘苦，更明白世間絕無一部可稱「完美」的目錄，因為成果必須用「時間」和

---

❸ 近年來討論儒學的文章數量不斷持續的累積中，《三編》原本曾將相關儒學資料一併蒐集，亦已收入目錄中，但後來限於出版的篇幅，只能忍痛刪去此部分條目，而由《三編》所蒐集到的1993至1995年間的儒學資料來看，估計至少2000筆以上，從其題目來看，泛論性的文章很多，對於編目者而言，不會因為文章的簡短、粗淺而刪去此條目，這就使得所收條目多而雜，這也正是《三編》為縮減篇幅而先考慮刪去儒學類的主要原因。

「心力」去換取，心力或可取決於個人意志，但時間卻不能由人控制，隨著編輯時間的延長，出版時間與收錄資料截止的下限將會相差越來越遠，這樣便無法兼顧「及時性」此一編輯要素。在此情況下，目錄的主編者往往必須限定並妥善掌控編輯時間，是以任何一部目錄都須受限於編輯時間的長短，或多或少都不免存在著一些缺陷。筆者以為，評論一部目錄的優劣，最主要的判斷標準應該是「體例」和「內容」，適當的體例才能使讀者有效的利用；至於內容，即收錄資料的完整度，一部目錄即使體例再完善、附錄種類再多，只要收錄的資料內容完整度不足，都不能稱為一部好目錄。若以上述標準來評論兩部《經學研究論著目錄》，在體例方面，儘管《初編》有未盡合宜處，至《續編》改進後已趨於完善；在內容方面，以收錄期刊為例，凡兩岸能得知的期刊，皆盡量實際抄錄，另外再利用《東洋學文獻類目》等書補足或覆核，如此一來，在正確度及資料完整度上都提高很多。是以本文雖然列舉出一些《初編》、《續編》的缺點，但終究瑕不掩瑜，因為《經學研究論著目錄》奠立專科目錄良好的典範，在近代專科目錄編纂史上已有其地位，而《續編》在《初編》的基礎上改進，充分地呈現出延續性專科目錄應具備的承傳和求進步的精神，足為其它延續性目錄所效法。

總之，《經學研究論著目錄》堪稱兩岸難得一見的目錄佳作，對於臺灣專科目錄的編輯產生了實際的影響，而該目錄的持續編輯出版，更是長期地造福經學研究者，對於經學研究風氣的提倡和水準的提升具有直接的貢獻。隨著學門劃分日趨細密，各種專科目錄的需求日益迫切，以文史哲為例，文獻學、哲學、宗教學、古典戲曲、古典小說、文學理論、語言文字學等多項學門至今都還沒有一

部適用的目錄出現，我們期盼有更多像林慶彰先生一樣具備服務熱忱的學者，能在致力於累積個人研究成果之餘，投注一些心力來從事專科目錄或基礎文獻的編輯，爲提升各專科研究領域水準而共同努力。

評《中國文化研究論文目錄》

陳邦祥*

書　　名：中國文化研究論文目錄（第一冊、第二冊、第三冊、
　　　　　第五冊）❶

主　　編：中國文化復興運動推行委員會

編　　輯：張錦郎（召集人）、王錫璋、吳碧娟、王國昭

助理編輯：俞寶華、施希孟

校 定 者：喬衍琯、劉兆祐、王國良、林慶彰

冊　　數：全套六冊（第四、六冊尚未出版）

出 版 者：臺灣商務印書館

出版日期：1982年12月（第一冊）、1988年1月（第二冊）、1990
　　　　　年11月（第三冊）、1985年12月（第五冊）

---

* 東吳大學中國文學系碩士生。

❶ 依據原本的規劃應當有六冊，第四冊歷史（二），指專史(學科史)而言，分博
物館史、宗教史、科學史、技術史、教育史、社會史、經濟史、財政史、政
治史、法制史、新聞史、美術史。第六冊是《中國文化研究論文目錄》的著
者索引，這兩冊後來並沒有出版，據筆者電話訪問臺灣商務印書館，書商認
爲時間拖太久，而且該目錄都已經上網，應該也無商業利益。

前　言

　　中國文化復興運動推行委員會，長久以來就一直資助個人、團體從事學術、文化的研究，以彰顯文復會當時成立的文化意義。我們所熟悉的時代意義，小從每一次的舞蹈表演比賽，都是傳統舞蹈得獎；大到人們安居的建築物，莫不蒙上一層濃濃的中國風，著名的像陽明山的中國文化大學、淡江大學等等；當然所熟悉的傳統經學、圖書目錄、語言文字、文學、歷史、地理、人物等等，被作家、學者拿來討論、研究，然後形諸文字，將這些論著集結成書，就快速地增加這些文字本身的深度與廣度，誠如劉師兆祐所說的：「《中國文化研究論文目錄》是三十年來學術界的智慧結晶。」

一、編排方式暨內容大要

　　《中國文化研究論文目錄》每冊均按論文內容歸類編排，共分六冊：

　　　第一冊　國父與先總統蔣公研究、文化與學術、哲學、經學、
　　　　　　　圖書目錄學。
　　　第二冊　語言、文字學、文學。
　　　第三冊　歷史（一），包括史學、通史、斷代史、考古學、民
　　　　　　　族民俗學。
　　　第四冊　歷史（二），指專史（學科史）而言，分博物館史、宗
　　　　　　　教史、科學史、技術史、教育史、社會史、經濟史、

　　財政史、政治史、法制史、新聞史、美術史。

第五冊　傳記。

第六冊　著者索引。

　　根據書前的〈序〉、〈凡例〉記載，本目錄收錄期刊、報紙、論文集、學位論文、行政院國家科學委員會研究報告中有關中國文化研究的單篇論文，條目凡十二萬。其中期刊九○一種，論文八萬餘篇，報紙十五種，論文三萬二千餘篇；論文集二○五種，論文三十九百餘篇；學位論文二千二餘篇；行政院國科會研究報告一千二百餘篇。以民國三十八年至六十八年底在臺出版者爲主，兼收同一時期海外自由地區出版的期刊及論文集，並酌收三十五年至三十七年在臺出版的期刊、報紙及論文集。取材以國立中央圖書館館藏爲主，該館所缺者，則據國立中央圖書館臺灣分館、國立臺灣大學研究圖書館藏補全。

　　專科目錄索引是將期刊、報紙、論文上面所刊載的文章篇目彙集，依照篇名、作者、標題、分類等一定順序整理編排，並注明所屬期刊刊名、卷期、發表年月、起迄頁次等資料的查檢工具。《中國文化研究論文目錄》有十二萬餘篇的論文條目，在資料的處理上是以所謂的「類序法」編排，以第一冊爲例，分爲「國父與先總統　蔣公研究」、「文化與學術」、「經學」、「哲學」、「圖書目錄學」五個主題。而每一個主題之下的類目排列，又輔以時空概念的時序法來排序，如「中國思想史」類下分先秦、漢魏、隋至元、明清、民國。這兩種方法交加使用，讓龐雜的資料，更顯得綱舉目張。至於每一個類下的資料排列，是儘量以第一個字來排序，但並不是「字形法」、「字音法」，也不是依筆畫由多至寡，在排序上不是排得

很完整、很整齊，期刊、報紙、論文又交叉排列，這可能是與當時電腦還沒有排序篩選的功能有關。

　　而本目錄的也呈現出幾個主要功用：

　　1.查詢期刊中的文獻資料。

　　2.瞭解各研究領域相關問題研究的程度和前人研究的成果。

　　3.反映社會探討的主題。

　　4.可藉以知悉學術發展的趨勢。

　　以「圖書目錄學」類而言，它反應出民國六〇年代，臺灣影印古書的風潮，這其中又以「類書」、「叢書」、「書目」為最大宗。由這些古書的影印出版，帶動學者的研究風氣，如文星圖書公司翻印《古今圖書集成》，促使研究古今圖書集成的風潮，本目錄所收的論文就有十二篇之多。從這些學者的研究成果，也可以清楚瞭解各研究領域相關問題研究的程度，更可提供後人在這個領域上作進一步的研究。

二、編輯記事

　　張錦郎老師在中央圖書館擔任閱覽組主任接手編輯《中國文化研究論文目錄》。當時主要是中國文化復興運動委員會為了慶祝建國七十週年，由執行秘書長王壽南教授企劃編輯事務，為了把三十年來自由中國地區學者研究中國文化的成果，呈獻給全球人士來參考使用，遂有整理這些論著的計畫。而專書的部分，由於資料蒐集不易，時間上亦不許可，於是從單篇論文開始著手，書名就定名為「中國文化研究論文目錄」。但基於文復會的人手、環境、資源等，

無力自任其責，乃與中央圖書館館長王振鵠商議，由文復會撥付編輯經費，而由中央圖書館擔任實際上的編輯工作。

依照當時的出版法，出版期刊應送繳中央圖書館壹份，所以該館為國內出版期刊收藏最齊全的圖書館，因此由中央圖書館來作《中國文化研究論文目錄》的編輯工作有其先天上的優勢。而且以張錦郎先生為主的圖書館界人員，和以喬衍琯教授為首的學術界，可以照顧到書目索引的專業水準，又可以兼顧到類目的適中和校定的精準。

當時由張錦郎老師擔任召集人，另外還有王錫璋、王國昭、吳碧娟三位編輯者，俞寶華、施希孟二位助理編輯。

三、目錄溯源

根據筆者的觀察了解，《中國文化研究論文目錄》最主要是站在《中國近二十年文史哲論文分類索引》、《中央日報近三十年文史哲論文索引》、《中文報紙文史哲論文索引》等書的基礎上繼續蒐輯、編纂而成的，其中又以《中國近二十年文史哲論文分類索引》為主。而這些目錄、索引主要也都是由張錦郎老師親自編輯成書，張錦郎老師有二十餘年編輯目錄索引經驗❷，累積前面的成果、及豐碩的資料，這成績就表現在《中國文化研究論文目錄》。

筆者主要依據《中國近二十年文史哲論文分類索引》和《中國文化研究論文目錄》的「圖書目錄學類」中的「叢書」類來作比對，

❷　參見林師慶彰撰：〈活在卡片堆裏的人——張錦郎先生訪問記〉，《書評書目》第80期（1979年12月），頁87－97。

例如：

《中國近二十年文史哲論文分類索引》❸在叢書類下收有論文二十八篇，其中有關四庫學的文章共有十三篇，我們將這十三篇拿來和《中國文化研究論文目錄》「叢書」類下「四庫全書」的五十六篇來相對照，可以發現，扣掉報紙的二十篇（因爲《中國近二十年文史哲論文分類索引》沒有收報紙論文），及五十七年以後的二十三篇（《中國近二十年文史哲論文分類索引》收到53年止），剩下十三篇。而其中又有兩篇，因爲類目區分愈細，打入其他的類目中；有一篇連續刊兩個月份，《中國近二十年文史哲論文分類索引》以兩條處理，《中國文化研究論文目錄》則以一條登錄，故只剩下十條資料，還有三條資料是《中國近二十年文史哲論文分類索引》應該收錄，沒有收

---

❸　國立中央圖書館編輯：《中國近二十年文史哲論文分類索引》（臺北：正中書局，1970年），係據國立中央圖書館所藏民國三十七年至五十七年出版的期刊及各種論文集編輯而成。期刊計有二百六十一種，以在臺出版者爲主，海外自由地區出版者次之，論文集三十六種。論文共有二萬三千六百二十六篇，內容包括哲學、經學、語言文學、歷史、專史（各學科史）、傳記、考古學、民族民俗學、圖書目錄學等十類。除論文外，兼收書評、序跋等。每篇論文著錄的款目，包括：論文編號、篇名、著譯者姓名、刊物或論文集名稱、卷期、起訖頁次、出版日期。按論文內容分類排列，計分上述十大類，七十六小類，每類再視實際需要，酌分細目。各小類或細目論文的排列，則以筆畫多寡爲序。爲檢索方便，書後附有著譯者索引，依姓名筆畫排列，後附論文的編號。另附收錄期刊及論文集一覽，依筆畫爲序。資料截至五十七年底止，以後的資料，可利用《書目季刊》每期附載的「最新出版期刊文史哲論文索引」。本書蒐羅宏富，不但展示了二十年間本國文史哲學研究的成果，便利學人分類檢索參考，也可藉以綜觀二十年間國內文史哲學研究發展的趨勢。

錄到的。所以從《中國近二十年文史哲論文分類索引》編輯出版後，一直到《中國文化研究論文目錄》開始編輯這十年間的光景，「四庫學」類的論文，只增加七篇。因此，我們可以清楚的知道《中國文化研究論文目錄》主要是在《中國近二十年文史哲論文分類索引》的基礎上繼續修訂。

　　當然《中國文化研究論文目錄》所收的期刊種類比較多，共有九〇一種，而《中國近二十年文史哲論文分類索引》則僅有二百六十一種。收錄時間比較長、範圍也比較大，《中國文化研究論文目錄》以民國三十八年至六十八年底在臺灣的出版品為主，兼收同一時期海外自由地區出版的期刊及論文集，並酌收三十五年至三十七年在臺出版的期刊。另外收錄的範圍也擴張到「報紙」、「學位論文」、「行政院國家科學委員會研究報告」等。資料來源則以國立中央圖書館館藏為主，該館所缺者，則據國立中央圖書館臺灣分館、國立臺灣大學研究圖書館藏進行補全的工作。而《中國近二十年文史哲論文分類索引》收錄時間從民國三十七年至五十七年出版的期刊及各種論文集編輯而成。期刊計有二百六十一種，以在臺出版者為主，海外自由地區出版者次之，論文集三十六種，這兩項加起來不過二百九十七種，資料來源則係據國立中央圖書館館藏品。

　　就此來看《中國近二十年文史哲論文分類索引》有論文共有二萬三千六百二十六篇，而《中國文化研究論文目錄》期刊類有論文八萬餘篇。以期刊種類多兩倍，相隔十年之久，這充分顯示出臺灣出版品的蓬勃發展，經濟的改善，大學以上學歷的知識份子越來越多，增加了六萬篇的論文，每年有近五倍的成長率。從這本論文目

錄來看，我們也可以知道當年學術風氣的盛況❹。

　　不過上述所提，僅止於期刊的部分，接下來筆者要介紹的是張錦郎老師的另一巨作——《中文報紙文史哲論文索引》❺。《中國近二十年文史哲論文分類索引》完成於民國五十九年，緊接著張老師於民國六十二年至六十三年間又出版了《中文報紙文史哲論文索

---

❹　劉師兆祐撰：〈三十年來學術界的智慧結晶——中國文化研究論文目錄(上)〉，《中央日報》第12版中央副刊（1982年6月29日）。文中，述及當時臺灣學術的盛況。

❺　張錦郎編輯：《中文報紙文史哲論文索引》（臺北：正中書局，1973－1974年），收錄《中央日報》、《臺灣新生報》、《臺灣新聞報》、《中華日報》、《聯合報》、《自立晚報》、《公論報》、《申報》、《東南日報》、《大公報》、《益世報》、《商報》、《新聞報》、《全民日報》、《前線日報》，《正言報》、《和平日報》、《金融日報》、《國語日報》、《國民公報》等二十種中文報紙，於民國二十五年四月至六十年五月間刊載有關中國文史哲論文資料一萬二千一百二十七篇，爲了檢索方便，中央日報部分輯爲第一冊，其餘各報的彙爲第二冊。分爲三部分：1、分類索引；2、著者索引；3、標題索引。第一部分分爲：總類、哲學類、經學類、語言文字學類、文學類、歷史類、專史類、傳記類、考古民族學類、圖書目錄學類等十大類；每大類下分若干子目，視其內容而定。每一條目，著錄：篇號、篇名、著譯者、版次及出版日期等五項。著者索引及標題索引是爲了便於檢索文章的作者及論文的內容而製。相關書評簡列如下：劉師兆祐撰〈評介中文報紙文史哲論文索引〉，《書目季刊》第8卷第1期（1974年6月），頁77－78；宋建成：〈張著中文報紙文史哲論文索引評介〉，《中國圖書館學會會報》第6期（1975年12月），頁139－140；編者另於民國六十年以筆名餘光編印「中央日報近三十年文史哲論文索引」，收論文三六五三篇，體例與本書相同，書後附四所圖書文獻機構的報紙目錄。前述索引第一冊，即據本書增訂而成。喬師衍琯撰〈中央日報近三十年文史哲論文索引評介〉，《新時代》第12卷第5期（1974年5月），頁31－33。

引》一書，這部書也是《中國文化研究論文目錄》的基礎之一，而且與《中國文化研究論文目錄》收錄的期間比較相近，但《中國文化研究論文目錄》在報紙類中，有報紙十五種，論文三萬二千餘篇，較《中文報紙文史哲論文索引》一書二十餘種報紙❻，一萬兩千一百二十七篇，足足多出了三倍，以時間算，每年有近三倍的成長。

其他如學位論文二千二百餘篇；行政院國科會研究報告一千二百餘篇。主要是以中央圖書館館藏資料為主，至於館中所缺者，則據國立中央圖書館臺灣分館、國立臺灣大學研究圖書館藏補全。其實就筆者所知，中央研究院歷史語言研究所傅斯年圖書館所藏海外自由地區期刊，以及國立政治大學社會資料中心所藏學位論文，為數甚夥，且較完整，不知當時為何沒有利用傅圖及國立政治大學社會資料中心的館藏資料。

以上筆者所說的「基礎」，只是一個約略的輪廓，《中國文化研究論文目錄》一書的編輯完成，並不僅僅只根據這些索引、目錄。而且將原本的論文資料，重新打散，重新編排，分類又盡量照賴永祥的「中國圖書分類法」，補收工作種種都可謂備極艱辛。

---

❻　《中國文化研究論文目錄》在報紙類中，有報紙十五種。《中文報紙文史哲論文索引》一書則有二十餘種報紙。《中國文化研究論文目錄》主要是剔除了《益世報》、《商報》、《金融日報》、《前線日報》、《正言報》、《國民公報》等與文化較無密切關係的報紙。筆者這樣說和第四冊的歷史（二），技術史、教育史、社會史、經濟史、財政史、政治史、法制史、……，並沒有衝突，因為它主要是指專史(學科史)而言。

四、先前學者的評述

有關《中國文化研究論文目錄》一書的評論，可謂前賢之述備矣，此處僅按劉師兆祐、林師慶彰的兩篇評介，揀其精髓，稍加整理臚列於下。本書特點，劉師兆祐在〈三十年來學術界的智慧結晶——中國文化研究論文目錄〉一文（刊載於《中央日報》第12版中央副刊，1982年6月29至30日）中提到《中國文化研究論文目錄》的優點有三，茲錄如下：

㈠**編輯嚴謹** 收錄論文，一一寓目，以免望文生義，歸類錯誤。同時，每一類都請各學科的專家學者審訂。

㈡**文獻豐富** 取材除期刊和報紙論文外，兼收論文集、學位論文及行政院國科會獎助的著作。

㈢**體例完善** 在分類上廣徵學者的意見，並按照學者檢索資料的習慣經驗與實際需要而分類目。對於不容易顯示文章內容的篇名，以括弧加按語；對於內容複雜的學術論著，一一注明子目，使讀者一望即知其內容梗概；對於一篇論文討論兩個主題以上的平行主題時，均做分析，歸入有關各類。

此外除了劉兆祐老師的文章外，還有林師慶彰的〈中國文化研究論文目錄評介〉❼一文可茲參考。林師於文中提出了目錄的優缺點各三項，論其優點有：

---

❼ 林師慶彰撰：〈中國文化研究論文目錄評介〉，《書目季刊》第17卷第1期（1981年），頁27－32。

㈠**涵蓋面廣** 編論文目錄，涵蓋面越廣，編起來越費事；……除收期刊、論文集外，又兼及報紙、學位論文、國科會研究報告。可謂一大創舉。

㈡**態度謹嚴** 此外，在頁碼的著錄方面也有不少特色，單篇論文注明由頁幾至頁幾，……；至於學位論文，或國科會獎助報告，也注其頁數。又如書評論文，皆一一查出原書之作者，……上述工作皆非常瑣屑，非有過人的耐力，和文化的使命感，實不足以辦此。

㈢**分類詳盡** 就本目錄觀之，分類可謂繁簡適中。如第一冊中之「文化與學術類」，分文化、中國文化、中國文化與其他之關係、文化復興、中國近代化問題、文化建設、學術史、學術與知識、國學與漢學九大類。

講到該目錄欠周的地方，林師也提出兩點來加以論述：

（一）類目有可斟酌者

本目錄之類目大體繁簡適中，其中哲學類有「中國哲想史」與「中國思想史」二類，爲了檢索方便，此二類似可合併。所謂哲學乃西方文化之產物，研究的對象有宇宙論、形上學、道德哲學、神學、知識論、邏輯等……。哲學一詞與思想遂逐漸混用，所以「中國思想史」與「中國哲學史」所討論的對象幾乎完全相同，甚至有稱「哲學思想」者。由於一般人用「哲學」和「思想」等名詞時，並無嚴格的界限，故研究一思想家之論文，有稱思想者，也有稱哲學者。如果將以思想稱呼的論文入思想史，以哲學稱呼的論文入哲學史，恐非最妥當的分類法，倒不如合而爲一，可省卻讀者前後翻檢之苦。

（二）分析片稍欠詳盡

本目錄曾將討論兩個主題以上的論文作分析片，歸入相關各類，用意至佳，然由於此類論文甚多，作分析片時不免有所遺漏，如經學類吳清淋撰〈荀子與書經〉（頁257）、裴溥言撰〈荀子與詩經〉（頁279），在荀子一目似皆應有分析片，始合體例。又如王靜芝撰〈詩經與中國文化〉（頁156）、王樹元撰〈漢石經詩經殘字集證序〉（頁231），於《詩經》一目也應有分析片。又如糜文開撰〈孟子與詩經〉（頁279），也應於孟子一目作分析片。此類情形在本目錄其他各冊可能還會出現。如能再詳加檢查補訂，更能增加本目錄之使用價值。

除此之外，並且更進一步，指出其時代的意義。林師提出《中國文化研究論文目錄》有三項意義：

其一、是圖書館界與學術界合作編書之佳例：使類目表和各篇論文的分類，能儘量減少失誤，以提高本目錄之實用價值，實為編輯工作上的一大進步。

其二、呈現近三十年研究中國文化之總成果：本目錄既收集近三十餘年間研究中國文化論文十二萬餘篇，則此段期間研究中國文化之趨勢，亦可由所收之論文略窺一二。

其三、是聲討中共摧殘文化的最佳利器❽：本目錄足以代表自由地區傳承中華文化的總成果，自是聲討中共摧殘故有文化之利器。

---

❽　同前註，頁31。

五、參與師長的回顧

當時參與《中國文化研究論文目錄》校定工作的四位學者中，有三位在東吳大學任教，後來林師慶彰、王師國良也投入專科目錄的編輯工作，例如林師有《經學研究論著目錄（1912－1987）》、《經學研究論著目錄（1988－1992）》，王師則有《中國文學論著集目》，而且也教授相關的課程。筆者課堂上與老師們談到當時校定的事情，老師們總也侃侃而談，現將老師所談到部分的內容分述如下：

劉師兆祐說：「當時我和喬衍琯先生、還有王國良老師、林慶彰老師一起為《中國文化研究論文目錄》作校定的工作，每個人有每個人比較專業的部分，例如我自己對圖書目錄方面比較熟悉，對於這方面用力就比較深。像林慶彰老師就是經學，王國良老師就是文學、小說等⋯⋯。」「我們作校定的工作都是義務幫忙的，經過很多老師的幫忙，才能完成目錄校定的工作，⋯⋯。」

林師慶彰說：「在國內而言，專科目錄、索引編得好的，張先生算是第一人。」林老師笑著說：「曾經有人問張先生的兒子說：『你父親是作什麼的？』小朋友很認真的說：『我爸爸是編索引的。』一個小學生能知道索引是什麼？可見得張先生對專科目錄的投入和專注，連家裏的小朋友都耳濡目染。」

林師還說：「《中國文化研究論文目錄》編輯期間，曾將目錄表預先油印，於民國七十年三月十五日邀請劉師兆祐、喬師衍琯、黃師慶萱、胡師楚生、王民信、王國良等數位教授，與編輯人員詳

細磋商討論，以求類目之盡善盡美。」❾其後劉師兆祐、喬師衍琯、林師慶彰、王師國良，並參加內容之校訂工作。

另外根據審定者王師國良說：「當時中央圖書館還在南海路上，他們在一個小房間裏，對已經大致歸類好的卡片盒中的分析片，作覈訂的工作。例如〈論別墨〉一篇，工作者誤以爲是文房四寶中的墨，而《程氏墨苑》一書，工作者又分不清楚是專門談四寶中的墨，就可能將卡片誤植，所以自己和其他三位老師一起作內容的審定，看看卡片有沒有放在不合適的類目下……。」「當時分析片用小盒子裝，裏面工作的有很多都是文、史、哲、圖書系所的工讀生，當然他們對於類目的歸類通常不太準確。我們作審定時，常常將分析片再重置到適當的類目，因此他們也常常跑上跑下，像這種情形一天都好幾十起。」

六、目錄的評論

面對劉師、林師的大作，可謂「崔顥題詩在上頭」，筆者似乎不必再班門弄斧、自曝其短，因此實無下筆著落處。但一學期的學習總也必須有些看法，作爲學習這課程的總結果，以下筆者僅從個人的一些小意見，對此目錄提出一些嘗試性的評論。

《中國文化研究論文目錄》涵蓋的時間甚長，收錄的論文又多至十二萬餘篇，編輯時自然難免有欠周到的地方，茲就已出版的四冊目錄所出現的一些缺失，略作檢討，此處所舉例以第一冊爲主，

---

❾　同前註，頁29。

第二至第五冊的部分則舉例較少，又因筆者對圖書文獻較感興趣，所以所舉例證大多以文獻類爲多。

（一）優點

除了著錄的文獻需完備之外，完善的體例也很重要。所謂完善的體例，就是要讓使用者，能夠迅速而正確的檢索到所需要的資料。《中國文化研究論文目錄》爲了達到這個目的，廣徵學者的意見，按照學者檢索資料的習慣與實際需要而分類目。其中有幾項是一般目錄很少見的特色，而且也對後來幾部大套的專科目錄產生了一些指標性的影響。茲將其特色、優點分述如下：

1.案語說明，輔助檢索

有些文章的篇名，不容易看出文章內容所要談的是什麼問題，本目錄均以括號加按語，加以輔助說明內容。這一點在凡例第十四（一）篇名下的第2條就明白的寫著「凡篇名字義不足以顯其內容者，在篇名後以括弧加注按語。」

例如「圖書目錄學」下的「圖書學」類，當中的第十「類書、百科全書」下的「永樂大典」類有一篇甲凱所撰的〈翰苑書賊〉，編者加註「（永樂大典）」，這樣一來讀者就可以清楚知道〈翰苑書賊〉一文，是在談《永樂大典》散出亡佚的情形。另外如「其他類書」下，有田素蘭在《書和人》所發表的〈類書兩種〉，編者加註「（意林、類說）」，這樣讀者就能知道所談的兩種類書是《意林》、《類說》。

其他如篇名代號118900、118901兩篇〈臺灣新印國學書目〉，其

後加上「（子部集部）、（經部史部）」；編號119027評介丘瓊台的
三種重要著作，其後加上「（大學衍義補、世史正綱、朱子學的二卷）」；
編號119047〈吳門三惠所著書目〉，三惠之後加上「（惠周惕、惠士
奇、惠棟）」等等，凡此等等都是更方便讀者檢索的工作。

　2.著錄子目，內容清楚

　　對於內容複雜的學術論著，編者一一註明子目，使讀者一望即
知其內容梗概。這一點在凡例第十四條第3小項中說「本書對於重
要學術論文偶加注子目，……以提示其重點所在。」

　　例如第二冊「文學類」下參、「文學個論」下（三）、「現代
詩專論」下1、通論下的（4）「其他」類下有林鍾隆在65年9月24
日發表於臺灣新生報第7版〈讀趙天儀「詩意的與美感的」〉一文，
編者在篇名之後，加上"—"的符號，然後以文字注明「內容分四
類」五字，並以冒號隔開，並在其後將文章分段子目臚列下來「1.
土雞與洋雞2.柯林烏藝術哲學的發展3.五四運動與文學革命4.中國
新詩史料選輯」❿；又如「現代詩專論」2、「新詩問題與展向」
有瘂弦發表在《葡萄園》第13期〈在鋼盔與桂冠之間〉後面所加注
的子目，其方法與上所述並不相同，它是逕置於篇名之後，以加括
弧並將文章子目抄入的方法來著錄，「（1.關於創作風格的問題2.
關於傳統的問題3.關於晦澀與明朗的問題4.關於詩的本質與技巧問
題5.詩評、詩選及其他）」。

---

❿　中華文化復興運動推行委員會：《中國文化研究論文目錄》（臺北：臺灣商
　　務印書館，1988年1月），第2冊，頁404，編號212981。

像這樣對於一些重要學術論文加注子目，以提示其重點所在，不僅可以讓讀者清楚的知道該期刊論文所談的範圍及重點，在資料檢索取用時，相信能發揮更大的幫助。

3.加註說明，文獻充足

傳記類中的人物，部份加註籍貫、字號、生卒年，提供讀者基本文獻。其實這一點同上所述的「偶加子目」一樣，都是凡例第十四條第3小項中所規定的「本書對於重要學術論文偶加注子目，重要傳記人物，偶加注籍貫、字號、生卒年等，以提示其重點所在」。

《中國文化研究論文目錄》第五冊主要是「傳記類」，因此凡例第十四條第3小項中的規定，在這一冊中俯拾皆是。偶加籍貫如504979〈張居正（江陵）傳略〉，按張居正，明江陵人，字叔大，別號太岳，嘉靖進士。這種加注籍貫的例子，並不多見，就偶加注籍貫、字號、生卒年來說，以加注字號、生卒年為最多。

偶加字號的例如501883〈將軍學者杜元凱〉後加「（杜預）」；501923〈徐孝穆行年紀略〉後加「（徐陵）」；502109〈仁恕孝友的梁昭明〉後加「（蕭統）」。另外一種著錄方式如502275〈王績（字無功）疑年錄〉，直接在人名後加括弧注明「字某某」，還有加注字及號的，如507394〈揭暄（字子宣，號韋綸）的物理研究及其與西學的關係〉，以上所舉的例子是加注字號的例子及各種著錄方式。

至於加注生卒年的如503351〈李清照研究〉後加「（一〇八四至一一五五年）」；又如525033〈趙芝青（1882－1962）先生事略補遺〉，這一條的著錄方式與上一條資料又不同了。

4.互見方法，不致疏漏

一篇論文討論兩個以上平行主題時，均作分析片，歸入相關主題各個類目。這是凡例第十四條第7小項中的規範「凡篇名討論兩個以上主題時，作分析片，歸入有關各類」。例如〈陶謝詩韻與廣韻之比較〉，分別歸入文學類參、文學各論二、詩（二）古典詩專論7.詩史（1）通代下的作家合論，及語言文字學類參、聲韻三、韻（一）、歷代韻書。而事實上〈凡例〉也舉了〈陶謝詩韻與廣韻之比較〉爲例，說明其處理方式，但按筆者檢查結果，事實並非如編者於凡例上所言，詳於缺點部分。

另外，劉師兆祐在〈三十年來學術界的智慧結晶──中國文化研究論文目錄〉一文中，對一篇論文討論兩個以上平行主題時，均作分析片，歸入相關主題各個類目，列爲特殊優點之一，但其所舉的文章是述之在《自由太平洋》6卷3期所發表的〈孟子性善荀子性惡辨〉⓫一文，並稱述「在孟子和荀子兩類裡都有著錄」，可是按筆者一一檢索，並以電腦輔助，發現並非如劉師文章所稱，這條資料其實只著錄一次，即歸類於「哲學類」下的肆、「中國哲學」下的（二）「儒家類」下的4.「儒家諸子合論」下的（2）「其他諸子合論」類下，編號112631，而劉師所述之語，不知其所據爲何？

對於一篇論文討論兩個以上平行主題時，均作分析片，歸入相關主題各個類目，這個方法，是相當方便使用者檢索資料時，而且不致有遺漏之虞。

⓫ 述之撰：〈孟子性善荀子性惡辨〉，《自由太平洋》第6卷第3期（1963年3月），頁40－44。

5.作者索引，方便查詢

　　第六冊爲作者索引，這種作者索引的功用，可以輔助分類的不足，同時也可以看出作者研究的方向和範圍。本目錄的編者在這方面也費了相當大的時間、人力。還有對於一篇論文係兩人以上合著，則是以個別作分析片加以處理。

　　但是第六冊並沒有出版，因此只能就書前所附的凡例，以及《中國文化研究論文目錄》網路版作一淺析。

凡例第十五條

　　第六冊爲著者索引。著者索引的目的，是輔助分類目類之不足。本書係依類編排，同一著者的論文分散在各冊，如欲查考某著者的論文收編在那一冊，或欲瞭解某著者的研究方向和成果，可利用著者索引檢索。著者索引包括個人著者及團體著者。均依其姓名或團體名稱的筆畫排列。筆畫相同的依前國立北平圖書館中文目錄檢字表「、一｜／」四部的先後順序排列。著譯者名稱後附以所著譯論文的篇名編號，編號首字爲冊數代號，如「305671」，表示該著者論文收在第3冊第5671號。若有重號則以＊或＊＊區別之。

凡例第十六條

　　著者索引對於同名而非同一著者，儘可能查出，分別著錄；對於同一著者分別以本名、筆名、別名發表者，亦儘量歸併在本名下；論文如係二人合著、合編、合譯等，均分別

著錄。外籍人士以姓氏英文字母順序排列。

例如篇名代號500302〈木蘭狩獵圖的畫家們和其他〉一文,為侯錦郎、畢梅雪所合著,發表於《雄獅美術》第70期,我們如果以著者索引來檢索,則可以發現,侯錦郎在本目錄中,一共有四篇文章被收錄,依次是210752〈陶淵明詩與佛教思想〉、418893〈皇家森林的秋季大獵——關於木蘭狩獵圖的背景研究〉、428007〈新郪虎符的再現及其在先秦軍事、雕塑及書法研究上的重要性〉、500302〈木蘭狩獵圖的畫家們和其他〉;另外畢梅雪在本目錄中,一共有二篇文章被收錄,恰巧兩篇都是與侯錦郎合著,在著者索引下也可以發現418893、500302兩個流水號。這樣個別著錄的方法,比較方便以著者來檢索資料的讀者,當讀者檢索資料時,不致造成闕漏的情形。

6.附錄完整,補充說明

每冊末附載所收錄的期刊、報紙、論文集一覽表。每一種資料均註明刊名、創刊或復刊年月、出版地、出版者以及本書所收錄的卷期、篇數,及涵蓋的年代。一些罕見的期刊,則註明收藏的機構。有一些期刊的名字曾經變更,也一一加以說明,這提供了讀者一份國內文史哲期刊的完整文獻⓬。

以這個部分而言,本目錄的所呈現出來的資料是非常完整詳細

⓬ 林師慶彰撰:〈活在卡片堆裏的人——張錦郎先生訪問記〉,頁88。劉師兆祐撰:〈三十年來學術界的智慧結晶——中國文化研究論文目錄(下)〉,《中央日報》第12版中央副刊(1982年6月30日)。

的，到目前為止，大概沒有任何一本專科目錄同它一樣，即使是受它影響頗多的《經學研究論著目錄》、《中國文學論著集目》、《詞學論著總目》等，也只是著錄該期刊或報紙、論文集的創刊日期、刊期、出版地、出版者等等。而本目錄則詳細到可以說有點繁蕪的將所收錄的期刊、報紙創刊或復刊年月、出版地、出版者以及本書所收錄的卷期、篇數，及涵蓋的年代，一一列出，並統計所收篇數。例如對於期刊著錄的形式，以《東方雜誌》為例：

東方雜誌

清光緒30年1月創刊　臺北　東方雜誌社　清宣統3年11月8卷9期第一次停刊，民國元年4月復刊；21年2月29卷3期第二次停刊，21年10月復刊；26年9月至12月因故延期出刊，30年11月38卷22期第三次停刊，32年3月復刊，37年44卷12期第四次停刊，56年7月在臺復刊，卷期另起，收1卷1期至13卷6期，共收1014篇（56-68年）❸

像《東方雜誌》這麼詳細的著錄期刊創刊或停刊、復刊年月、出版地、出版者以及本書所收錄的卷期、篇數，及涵蓋的年代，但是最重要的只有「56年7月在臺復刊，卷期另起，收1卷1期至13卷6期，共收1014篇（56-68年）」，因此目錄編輯者最大的目的，可能想將一些罕見的期刊作詳細的備註，為了只是提供讀者一份國內文史哲期刊的完整文獻。這一點劉師兆祐、林師慶彰都在文章中說過。

---

❸ 中華文化復興運動推行委員會主編：《中國文化研究論文目錄》，第1冊，頁882。

本目錄對報紙的著錄方式也與期刊著錄相似，在最後面還將所收錄的報紙論文，製成「收編論文篇數統計表」，例如臺灣新聞報：

> 38年6月20日創刊　高雄　臺灣新聞報社　前身是臺灣新生報南部版，50年6月1日臺灣新生報社股份有限公司改制爲臺灣新生報業股份有限公司，遂將其所轄南北兩版，分別獨立經營，北版仍稱爲臺灣新生報，南部版則易名爲臺灣新聞報　收50年8月至12月；51年2、4至6月，8至12月；52年1至5月，8、10、11月；53年0、4、5、7、11月；54年2至8月，10至12月；55年1至2月，5至10月，12月；56年1至8月，10至11月；57年2至4月，7至11月；58年1至5月，10至11月；59年1、2、4、6、9、10、12月；60年8月；66年1月至68年12月，共收924篇。

這樣詳細的著錄，除了徵信之外，大抵和編輯者的謹嚴個性有關。

（二）缺點

然而由於《中國文化研究論文目錄》，涵蓋的時間太長，收錄的報紙期刊論文又多達十二萬餘篇，而且成於眾手，編輯時難免有相互牴牾、照顧不周的地方，茲就已出版的四冊目錄，及林師課堂的指導，略作檢討：

1.分類歸類，似可斟酌

林師在〈中國文化研究論文目錄評介〉一文中，稱述其優點（三）：「分類詳盡」條下：論文目錄太粗，不便於檢索；分類太

細，又嫌瑣碎。就本目錄觀之，分類可謂繁簡適中。但是本目錄分類是依據賴永祥的「中國圖書分類法」來對資料作歸類，同時分類類目的擬定，視收錄篇章的多寡而定，故常有精粗詳略的分別。因此某些類目似可歸於某類之下，而本目錄卻別立一個子目。

例如「圖書目錄學類」中的壹、「圖書學」其中的第八項「叢書」，將《四庫全書》別成一類；另外貳、「目錄學」中的第二項「書目、目錄」中的第七小項「收藏目錄」中又有1、「四庫全書有關書目」，事實上這兩個子目應該可以合而為一，因為叢書之中已列《四庫全書》一類，讀者很可能看到這個類，就以為有關《四庫全書》的相關資料都蒐集於此。

另外，該目錄到現在為止，只出版了四冊，第六冊「著者索引」的部份，尚未出版，延續上面的問題，如果本目錄只有著者索引，而沒有標題索引，作為一個資料尋檢者，就必須清楚的掌握有關四庫類的篇章，除了被放置在上述的兩類中之外，還可能出現在那些類目下。

2.成於眾手，頗有缺漏

本目錄由張錦郎老師擔任召集人，其下還有王錫璋、吳碧娟、王國昭三位編輯，俞寶華、施希孟兩位助理編輯。當然其下有不少的工作者，這種成於眾手的目錄，大多都會有闕漏、良莠不齊的情形。

另外，「四庫全書」中有56篇相關的學術文章，但我們如果將這個類的資料和《乾嘉學術研究論著目錄》中的「四庫學」相較，則其中漏收的情形仍不少，例如：彭歌的〈世界最大的書〉（《臺

灣新生報》，1966年10月17日），據《中國文化研究論文目錄》書後的
〈中國文化研究論文目錄——收錄報紙一覽〉「臺灣新生報」條下：
34年10月25日創刊　臺北　臺灣新生報社　收35年1至6月，10至12
月；36年1至2月，4至9月，11至12月；37年1月至68年12月，共收2916
篇。彭歌的文章在收錄範圍之內，卻被漏收了。

　　以下筆者主要以林師慶彰主編的《乾嘉學術研究論著目錄（1900
－1993）》第三編「四庫學」❶，來對照《中國文化研究論文目錄》
中「叢書」類下的「四庫全書」類，可以知道它漏收的情況。

※以下所列資料是林師慶彰主編的《乾嘉學術研究論著目錄（1900
　－1993）》第三編「四庫學」中所有，而《中國文化研究論文
　目錄》中「叢書」類下的「四庫全書」類所無。

0413　吳顯齊　什麼是四庫全書學典
　　　　　　　世界月刊　第1卷第7期　頁23－26　1947年3月
0414　卜月回　漫談四庫全書
　　　　　　　中央日報　第8版　1947年1月16日
0415　費　寅　記四庫全書
　　　　　　　圖書展望　復刊第6期　頁24－25　1948年1月
0426　楊家駱　四庫全書一夕談
　　　　　　　青年戰士報　1963年12月23日
0428　彭　歌　世界最大的書
　　　　　　　臺灣新生報　1966年10月17日

----

❶　林師慶彰主編的《乾嘉學術研究論著目錄（1900－1993）》第三編「四庫學」
　　部分，主要編輯者侯美珍，現為臺南女子技術學院講師。

0433　彭國棟　四庫全書之滄桑

　　　　　　藝文掌故三談　頁79－81　臺北　正中書局　1974年

0434　王樹楷　四庫全書簡論

　　　　　　臺北　臺灣商務印書館　70頁　1974年

0435　田峻承　「四庫」雜俎

　　　　　　今日中國　第51期　頁118－132　1975年7月

0436　陳彬龢、查猛濟　清代四庫全書的價值

　　　　　　中國書史　頁175－183　臺北　文史哲出版社

　　　　　　1977年1月

0501　殷豫川　乾隆皇帝與四庫全書

　　　　　　春秋　第4卷第3期　頁8－11　1966年3月

0515　林　熙　從四庫全書談紀曉嵐及其軼事

　　　　　　臺灣日報　第12版　1977年4月27－29日

0516　林　熙　記四庫全書總編輯紀曉嵐

　　　　　　藝文誌　第144期　頁7－15　1977年9月

0548　王樹楷　四庫全書所採用之四部分類法

　　　　　　臺灣教育　第113期　頁17－19　1960年5月

0552　許文淵　清修四庫全書之目錄學

　　　　　　臺北　國立政治大學中國文學研究所碩士論文

　　　　　　1975年5月　昌彼得指導

0553　盧孝齊　四庫全書與書目答問政書類及歸類互異之因

　　　　　　圖書館學刊（輔仁大學）　第6期　頁50－57　1977

　　　　　　年6月

0609　淳　穆　四庫全書本後樂集

　　　　　　　文物週刊　第37期　1947年6月4日

0612　梁子涵　四庫全書載耶穌會士譯著漢文書籍

　　　　　　　新鐸聲　第22期　頁73－78　1959年3月

0614　費海璣　四庫全書珍本「言行龜鑑」讀後感

　　　　　　　大華晚報　第10版　1964年5月6日

0615　裘開明　四庫失收明代類書考

　　　　　　　香港中文大學中國文化研究所學報　第2卷第1期

　　　　　　　頁43－57　1969年9月

0679　劉昌詩　四庫底本蘆浦筆記

　　　　　　　臺北　李宗侗　168頁　1968年9月　世界文史藝

　　　　　　　術叢書第1種

0680　任長正　蘆浦筆記各種版本的比較研究

　　　　　　　大陸雜誌　第7卷第5期　頁4－7　1953年9月

0681　李宗侗　跋蘆浦筆記各種版本的比較研究

　　　　　　　大陸雜誌　第7卷第5期　頁8　1953年9月

0720　李符桐　文溯閣藏書記

　　　　　　　中央日報　第6版　1953年4月18日

0860　王雲五　景印四庫珍本緣起

　　　　　　　岫廬論學　頁331－333　臺北　大華晚報社　1965

　　　　　　　年4月出版

　　　　　　　岫廬論學（增訂版）　頁331－333　臺北　臺灣商

　　　　　　　務印書館　1966年1月第二版

　　　　　　　岫廬序跋集編　頁70－72　臺北　臺灣商務印書

　　　　　　　館　1979年6月

0860　王雲五　景印四庫珍本第一集序
　　　　　　　　東方雜誌（復刊）　第4卷第3期　1970年9月

0954　楊家駱　四庫全書及其續修計畫
　　　　　　　　中國一周　第713期　頁1－6　1963年12月23日
　　　　　　　　學粹　第6卷第2期　頁13－19　1964年2月

0955　楊家駱　續修四庫全書工作單元舉例——續修四庫全書計畫之
　　　　　　　　二　中國一周　第717期　頁1－4　1964年1月20日

0956　楊家駱　宋明理學名著初集述旨——續修四庫全書計畫之三
　　　　　　　　中國一周　第718期　頁1－4　1964年1月27日

0957　楊家駱　全明雜劇擬目——續修四庫全書計畫之四
　　　　　　　　中國一周　第719期　頁6－8　1964年2月3日

0958　楊家駱　景印郡邑叢書彙編議——續修四庫全書計畫之五
　　　　　　　　中國一周　第720期　頁6－7　1964年2月10日

0959　楊家駱　疑年錄統編——續修四庫全書計畫之六
　　　　　　　　中國一周　第721期　頁1－2　1964年2月17日

0960　楊家駱　十四經新疏擬目——續修四庫全書計畫之七
　　　　　　　　中國一周　第722期　頁9－12　1964年2月24日
　　　　　　　　學粹　第6卷第3期　頁9－13　1964年4月

0961　楊家駱　續修四庫全書的工作——續修四庫全書計畫之八
　　　　　　　　中國一周　第724期　頁1－2　1964年3月9日

0962　楊家駱　輯印學報彙編議——續修四庫全書計畫之九
　　　　　　　　中國一周　第731期　頁10－13　1964年4月27日

0993　佚　名　四庫全書被湮毀，孔德成自請處分
　　　　　　　　聯合報　第1版　1963年5月10日

0997　佚　名　四庫全書溼損，負責人將記過，監院亦將調查責任
　　　　　　　　中央日報　第4版　1963年5月19日

1003　吳哲夫　擷藻堂四庫全書薈要
　　　　　　　　幼獅月刊　第47卷第3期　頁50－56　1987年3月

1121　王國良　書目答問與四庫全書總目雜史類分類之比較
　　　　　　　　圖書與圖書館　第3期　頁33－40　1977年6月

1122　盧孝齊　四庫全書與書目答問政事類分類及歸類互異之因
　　　　　　　　圖書館學刊（輔仁大學）　第6期　頁50－57　1977
　　　　　　　　年6月

1270　故宮文獻處　景印文淵閣四庫提要簡目──附四庫全書提要
　　　　　　　　（1－14）
　　　　　　　　圖書季刊（國立故宮博物院）　第1卷第1期－第4卷第
　　　　　　　　2期　1970年7月－1973年10月

以上只是筆者粗略的比對，也許還有很多疏漏之處，但以《四庫全書》以及相有關書目兩類計七十餘篇的論文來比核，漏收了三十餘篇，佔了四成，不能不說它漏收的情況不嚴重。

　　3.多用簡稱，造成困擾

　　《中國文化研究論文目錄》全書為一個B3大小的版面，每一條資料如果字數過長，該目錄通常以兩行處理，如果字數恰好一行，或一行多一點，該目錄通常會從收錄的期刊來作簡稱的動作，但是如此一來讀者就很容易對文章出處的期刊、和後面的收錄期刊一覽表的期刊名，也許就會造成混淆的情形。

　　例如《圖學會報》，它的全名應該是《中國圖書館學會會報》，但是如果讀者不清楚省稱的情形，或如果知道，但無法將《圖學會報》、《中國圖書館學會會報》兩個聯想在一起，那找一輩子也找不到這本期刊。

　　因此在凡例的第十八條就明白的說「本書收錄的期刊或論文集有用簡稱的，分別在收錄期刊或論文集一覽表內，注明全名。如《史語所集刊》見《中央研究院歷史語言研究所集刊。》」〈凡例〉這段話是有問題的，因爲它並沒有在收錄期刊或論文集一覽表內說明，《中央研究院歷史語言研究所集刊》簡稱《史語所集刊》，不過這還是好的，因爲這兩個名稱很容易聯想。而如果像《圖學會報》、《中國圖書館學會會報》這種情形，其實是會造成翻檢者不小的問題和困擾。

　　但是該目錄的體例很不一致，諸如簡稱的情形，有時名稱較長就用簡稱，有時候它又以縮小雙行小字來著錄。例如第一冊六一一頁的《中華文化復興月刊》、《中國文化研究所學報》、《中山文化學術集刊》等等幾處例子。這個問題我想可能是當時抄錄目爲求簡便，因此有些期刊名就以簡稱抄入，但事後忘記將它補全所造成的。

　　4.出處標明，省稱減字

　　有些篇名有主標題和副標題，《中國文化研究論文目錄》在著錄的時候也常表現出體例不一的情形，有些資料，它會完整呈現出標題，有些則只簡單的著錄主標。例如「四庫全書」類下，118273〈四庫餘聞〉一條，應該還有一個副標是「歐洲人著述補正」。

又如篇名代號118248一條「七閣四庫全書之存燬及其行世印本」，這條資料應當是發表《大陸雜誌》第十九卷第六期至第十九卷第七期，而篇題應是〈七閣四庫全書之存燬及其行世印本（上）〉、〈七閣四庫全書之存燬及其行世印本（下）〉，本目錄則將這兩條資料合併成一條，（上）、（下）兩字主動去之，卷期則以19：6－7著錄，這還好，讀者很容易可以知道大概是19卷6－7期。頁次則以〔8〕來著錄，迫使讀者又必須翻到凡例的部分，閱讀凡例約六千字才能知道，原來〔8〕代表連載論文累積的總頁數，事實上它如果著錄22-25，並不會佔它多少篇幅，筆者就不明白何以要創這麼多的代表符號出來。

5.凡例太多，複雜繁瑣

另外本目錄雖然有一個頗為詳盡的〈凡例〉，約六千餘字，但有些並不一定得看凡例才能知道它在講什麼，例如（三）卷期一項下說，期刊卷期的著錄方法，如「3：2」，表示3卷2期；如僅有卷號而無期數，或僅有期數而無卷號，則僅著錄卷號或期數。筆者猜想大概只要在卷期欄下看到「3：2」都可以知道是3卷2期，何需在凡例的部分再講一次，讓人感到不勝繁瑣。

又如（五）出版日期一項說，出版日期的著錄方法，如「56・7」，表示56年7月，一般使用者皆可知道。但是它底下就製造一連串的代表符號出來，如「66・3－5」，表示66年3月至5月；如「67・4、1－5、28」，表示67年4月1日至5月28日；如「55・11・17、24；12・6，13」表示55年11月17日，24日，55年12月6日，13日。餘類推。一、二的例子或許比較好了解，但是讀者，不必利用凡例，能

找到自己要的文章，因為文章如果是連載，通常會在標題之下會有一些數字如一、二……，或文字如上、中、下，或於文末會註明未完待續，讀者看到這些東西，當然就會再去找下一期的資料來看。但三個例子可能比較有問題，例如連載的文章並不一定是按月刊登下去，有時隔個一月，有時甚至半年後，但如果可以註明得清楚，而不要以一些數字來代替這種情形，筆者以為對讀者的幫助會更大。

更何況所訂立的凡例，就是要去規範內容龐雜的資料，使它變繁為簡。如果所定立的凡例都無法在同一部目錄中確實去作業，〈凡例〉的意義也就不大了。例如〈凡例〉第十四條第7小項中的規範：

> 「凡篇名討論兩個以上主題時，作分析片，歸入有關各類」。
> 例如〈陶謝詩韻與廣韻之比較〉，分別歸入陶淵明詩（文學古典詩）、謝靈運詩（文學古典詩）及廣韻（語言聲韻）。

可是就筆者一一檢查的結果，本目錄有一些資料是有按「凡篇名討論兩個以上主題時，作分析片，歸入有關各類」的規定歸入有關各類，有些則只歸入一類而已。就〈凡例〉第十四條第7小項中所舉的例子：「〈陶謝詩韻與廣韻之比較〉，分別歸入陶淵明詩（文學古典詩）、謝靈運詩（文學古典詩）及廣韻（語言聲韻）。」事實上〈凡例〉所舉的〈陶謝詩韻與廣韻之比較〉例子，其處理方式並非如編者於凡例上所言，按筆者檢查它的著錄情形應是，歸入文學類參、文學各論二、詩（二）古典詩專論7.詩史（1）通代下的作家合論，及語言文字學類參、聲韻三、韻（一）、歷代韻書。跟〈凡例〉上所講完全不同，像這樣連在〈凡例〉中所舉例子都不成立，筆者不

知道這〈凡例〉意義到底是什麼？

　　6.篇幅太大，時有訛字

　　錯字的例子在每一本書都是常見的，即使是校過十遍的稿子都很可能有錯字。由於《中國文化研究論文目錄》的篇幅實在太大了，收錄的資料又多達十二萬條之譜，校勘的時候也許因爲資料太煩瑣，因此文字的訛誤就在所難免了。但由於它錯，因此後頭許多以它作追溯的目錄、索引就跟著錯，實在害人匪淺。

　　例如四庫全書類，第118277〈兩年來對四庫全書續修與影印的呼聲述略〉，此處《中國文化研究論文目錄》將「百年」訛成「兩年」，侯美珍的《乾嘉學術研究論著目錄（1900－1993）》第三編「四庫學」部分，也是著錄〈兩年來對四庫全書續修與影印的呼聲述略〉，筆者推想這個部分可能是侯美珍在追溯的部分引用《中國文化研究論文目錄》爲底本，因此《中國文化研究論文目錄》錯，她也就跟著錯。

七、對後來專科目錄的影響

　　《中國文化研究論文目錄》至少對後來四種重要的專科目錄有重大的影響和指引。由於筆者見識所限，就目前筆者所見，它對林慶彰《經學研究論著目錄（1912－1988）》、羅聯添《中國文學論著目錄正續編》、黃文吉《詞學研究書目》、林玫儀《詞學論著總目》等四種影響最大。

　　就體例上而言，後面這些目錄幾乎不脫它的樣子，可以說是站在它的基礎上進行對體例擬定的修正與訂補。

　　例如林師慶彰的《經學研究論著目錄（1912－1988）》，書後就附有〈作者索引〉，及所收期刊、報紙、論文集一覽表，以便學者檢索參考。事實上，在《中國文化研究論文目錄》及張錦郎先生所編其他專科目錄之前，從來沒有一本專科目錄在書後有附詳細的引用期刊書目一覽表。因此筆者認為，《經學研究論著目錄（1912－1988）》是有受到《中國文化研究論文目錄》的影響。

　　例如「經學類」類目的分法，它應該是明顯的影響到後面的《經學研究論著目錄（1912－1988）》、《經學研究論著目錄（1989－1992）》。如詩經一類，分為通論、篇章各論、歷代詩學、魯齊韓詩四類。通論又分為：作者、詩序、六義、采詩與刪詩、價值、分類研究、史料與名物考釋、詩韻、語法與修辭、詩經在外國等類目。篇章各論依（一）國風、（二）雅、（三）頌；國風下又清楚的分為南、周南、召南、邶風、鄘風、衛風、王風、鄭風、齊風、魏唐秦陳檜曹風、豳風之順序排列。又例如論語、孟子也依論、孟之順序排列。由此可見編輯者態度之謹嚴，及其博大精細之處。因為要將每篇論文查出其屬於各經之某一篇章，於經書自應有相當程度之認識。本目錄之編者，能不厭其繁雜瑣碎，一一加以檢索排列，不但造福讀者，也影響到後出的專科目錄，林師慶彰就曾說：「為目錄的編輯立下了典範。」⓯

　　另外，「文學類」類目的分法，也明顯影響到由羅聯添、王國

⓯　林師慶彰撰：〈中國文化研究論文目錄評介〉，頁31。

良先生所主編的《中國文學論著集目》書名的擬定、類目的分法。
「文學類」下參、「文學各論」下的三、「詞」這個類的分法、類
目的擬定，及其目錄資料，也多多少少成為黃文吉《詞學研究書目》、
林玫儀《詞學論著總目》的他山之石。而目前所欠缺的「文獻學」、
「語言學」類的專科目錄，《中國文化研究論文目錄》也可以作為
編輯「文獻學」等學科之專科目錄時，在追溯資料時的一個依據。

八、《中國文化研究論文目錄》網路版

　　由於科技的發達，知識的日新月異，傳統的紙本書面圖書已不
再是唯一的資料來源。許多新的理論與技術發明，都是先發表於期
刊，而後發展為專書；科學的實驗與新的作業方式，大都以短篇論
著形態，呈現在期刊之中；許多事件的報導，學術研究成果，甚至
一些大眾關切的問題的討論，也經常散見於期刊，登載個人獨到的
觀察與見解，供大眾研究參考。由於期刊的內容廣泛，資料新穎，
出版迅速，發行數量較大，散布較廣，隨時供應新知，報導活動及
學術研究的趨勢與成果，因此已漸漸成為現代社會知識傳播的主要
媒介，也是學術研究的利器。如今在各個學科領域，人們對期刊文
獻依賴程度之深更遠超過一般書籍。因此，《中國文化研究論文目
錄》與目前的電子網路科技相結合，能使其影響更無遠弗界。

　　由於期刊索引摘要所收集的各篇文章資料都是經過篩選而來，
並且進行了詳細的主題分析，歸入類目，例如對各篇文章賦予分類
號、標題、關鍵詞等等，所以在檢索的深度與利用的精準性上非常
實用而理想。以前的期刊索引摘要多以人工卡片進行抄錄編輯，以

紙本印刷出版；近年則偏向電子資料庫方式建檔，提供網路化多元組合的查詢，甚至更提供主動式的個人化資訊服務，使得期刊被利用的效益更加擴大。中央圖書館從民國72年起改採線上資料庫建檔，逐步擴大收錄期刊種數，並提供檢索服務。該系統除了遠端載入（Telnet）版的查詢界面外，也在全球資訊網（WWW）上結合期刊影像數位化資料庫，提供線上文獻傳遞服務，名為「期刊文獻資訊網」，而《中國文化研究論文目錄》就是其中一個子目。

《中國文化研究論文目錄》到底什麼時候上網供讀者使用的，筆者到目前為止仍然還沒有找到確切的資料，但筆者大膽的推論本目錄的電子版，是紙版目錄第四冊、第六冊不管是現在或以後，都不可能再刷印出版的關鍵❻。由於本目錄是成於眾手，完成的時間實在太懸殊了，到底是第四冊、第六冊無法完成，還是時間上也拖太久了，所以沒有出版，或是因為《中國文化研究論文目錄》已經有了電子版，所以不再印紙版。筆者認為這些都有可能。

有了《中國文化研究論文目錄》電子版，就可以將紙版丟棄了嗎？筆者認為紙版目錄仍舊有其存在的必要。因為就筆者的使用心得，關鍵詞、作者索引，並不能完全的檢索到所有的資料，例如以祝秀俠為著者檢索詞，則將發現，檢索到的86篇文章當中，並不包含〈百年來對四庫全書續修與影印的呼聲述略〉這一篇文章，那也就是說以著者為檢索詞，並不能將著者所有的文章都檢索齊全。

---

❻　據葉純芳學姊（東吳大學中國文學研究所博士班）轉述張錦郎老師所說的話：「目錄會出齊，但不知是何時。」而筆者電話訪問臺灣商務印書館，他們說：「不會出版」。

　　但是目前一般使用者都過度倚賴電腦的檢索結果，使得作研究時無法將基礎資料蒐集完全。因此筆者仍然相信紙本目錄有其繼續存在的必要性。因此雖然電腦檢索已經相當發達，它的功用還是不能被取代的，而且電腦盲點很多，已經上網的《中國文化研究論文目錄》並不能完全發揮檢尋功能，甚爲憾事。

　　還有《中國文化研究論文目錄》電子版，在幾個地方有些許的更動。例如篇名代號部份，電子版在原本的紙版目錄的每組代號上最末加上一個阿拉伯數字「0」，最前加上一個英文字「s」，這一點是和紙版目錄最不一樣的，但爲什麼這麼做，電子版並沒有說明。

九、結　語

　　儘管上述有諸多意見，但那只是一個野人自曝不成熟的想法。事實上筆者對索引、目錄的編纂者是相當崇敬的，也深知箇中滋味。試想在沒有電腦的年代裏抄十二萬條資料會是什麼樣的情形。因此，就算這四冊目錄中，有些不足的地方，也是瑕不掩瑜的。張錦郎先生在一九七〇年編有《近二十年文史哲論文分類索引》，一九七三～七四編有《中文報紙文史哲論文索引》二冊，一九八二年又擴充爲《中國文化研究論文目錄》，已陸續印行完成，原本預計六鉅冊，現只出四冊。張先生潛心於這一工作，常自費到日本、美國、香港、中國大陸等地訪求資料，成爲馳名國際的專業專科目錄文獻學家。交遊既廣，得道多助，亟盼全帙能早日問世，並有人能接棒。

　　從事文史哲學術活動的工作者，也很有必要建立一個自己個人

專用的文獻資料檔案，長久以來都是收集、整理、累積資料，抄抄寫寫，黏黏貼貼，也瑣瑣碎碎。這是費時惱日，緩慢艱苦的工作。爲收集期刊文獻資料，可使用期刊指南或目錄，得知有何期刊出版，何館藏有；以期刊索摘爲檢索、篩選而閱讀期刊文獻原文的工具。閱讀後始能摘鈔或剪輯，累積資料，教學進而創作、寫作。祇要勤快有恆，假以時日，成效必定可觀。這也是林師慶彰於索引學課堂上一再鼓吹的。

　　另外，綜合性的目錄，在編輯的過程中是一定會漏收的，而綜合性的專科目錄通常都是圖書館在做，因爲圖書館不管在人力、資源、藏書資料等等，都可以充分的供應。相對的比較專業領域的專科目錄，通常都會由學有專精的學者來從事編輯，但不論如何，任何一本目錄都會有漏收的情形，這是很正常的。其中值得一提的是有許多學科至今仍無專科目錄、期刊論文索引可供參考，因此它就充分發揮這個空窗期的一些功能，例如「圖書目錄學類」、「文字聲韻訓詁」等類，至今爲止，它仍是檢查民國三十五年至六十八年間有關臺灣中國文化研究方面最齊全的資料。

　　總之，《中國文化研究論文目錄》不僅是記錄和反映臺灣從民國三十五年至六十八年間，學術、文化研究發展的方向與成果，也是查考民國三十五年至三十八年間期刊、報紙、論文集、學位論文、行政院國家科學委員會研究報告中有關中國文化研究的單篇論文最重要的工具書。

評《中國文學論著集目》

許馨元[*]

書　　　名：中國文學論著集目正編
主　　　編：國立編譯館
編　　　輯：王國良等
冊　　　數：7冊
出　版　者：五南圖書出版公司
出版日期：1996年7月

書　　　名：中國文學論著集目續編
主　　　編：國立編譯館
編　　　輯：王國良等
冊　　　數：7冊
出　版　者：五南圖書出版公司
出版日期：1997年12月

---

[*]　東吳大學中國文學系博士生。

一、前　言

　　文學，是透過語言來建構形象，以反映社會生活及作者思想情感的一種藝術語言，在社會生活中，文學具有重大的教育作用，並且在歷代文學家不斷的累積下，豐富了人類文化的寶庫。對一般的大眾而言，文學發展到一定的歷史階段，作家輩出，創作日盛，文學著作得到廣泛流傳，爲掌握和提高檢索文學文獻的能力，使人能擴大視野，掌握動態，有目的地選擇閱讀文學作品，節省查找資料的時間，都有賴於文學目錄的作用。

　　其次，在學術研究的過程中，藉由專科目錄的資訊，能使學者在最短的時間內，了解學術發展的狀況，以及前人研究的成果，進而奠定自身研究的基礎，故專科目錄在學術研究中佔有極爲重要的地位。而中國幾千年的歷史，累積了豐厚的文學資產，因此不論從文學閱讀與欣賞、古籍整理或是研究文學發展的角度來看，都必須藉重一部完善的文學目錄。近代關於文學目錄的編輯，在學者需求的日益迫切之下，數量也大爲增多。在目錄的類型上，有限於一種體裁的，如嚴靈峰的《楚辭書目》，有以時代爲斷限的，如羅聯添的《唐代文學論著集目》❶，亦有以中國文學爲範疇的論著目錄，即是由國立編譯館主編的《中國文學論著集目》❷。

　　本文主要以正、續兩編爲範圍，首先探討本目錄的編輯特色，

---

❶　羅聯添編：《唐代文學論著集目》（臺北：臺灣學生書局，1979年）。

❷　國立編譯館主編：《中國文學論著集目》（臺北：五南圖書出版公司，《正編》1996年7月，《續編》1997年12月）。

其次論及本目錄的缺失，內文中分別就本目錄的體例、內容及類目等部分加以查檢，歸納其疏漏之處，期望能提供日後研究者在使用此目錄時參考。

二、《中國文學論著集目》體例與內容分析

《中國文學論著集目》分正編、續編，正編所收錄資料的範圍約自民國元年（1912）起，至七十年（1981）止；續編約自民國七十一年（1982）起，至七十九年（1990）止。正、續兩編的序言及凡例內容皆相同，唯一不同的是編輯小組在各冊序言中著錄的日期，正編著錄民國83年6月，續編著錄民國84年6月，從序言及凡例內容相同的情況來看，本目錄在籌備時便已決定要出版正、續二編，同時二編在編輯工作時間上應有重疊。

正、續編內容各分為七個單元，由於本目錄涵蓋的範圍相當廣大，因此在編輯時以羅聯添為編輯小組召集人，各單元分別由不同的主編來編輯，各單元名稱及編者如下：第一冊《中國通代文學論著集目》王國良編；第二冊《先秦兩漢文學論著集目》韓復智編；第三冊《魏晉南北朝文學論著集目》王國良編；第四冊《隋唐五代文學論著集目》羅聯添編；第五冊《兩宋文學論著集目》劉德漢編；第六冊《遼金元明文學論著集目》王民信編；第七冊《清代文學論著集目》宋隆發編。

各單元的序言及凡例皆相同，序言中簡要的說明編輯此目錄的期望，而凡例共有十五條，說明各冊在編輯目錄時以這些條例為編輯的依據。關於凡例中的一些問題，下文在談到此目錄的缺失部分

再詳論。筆者以爲由於本目錄由不同的編輯者共同策劃編輯而成，每位編輯者負責一個單元，若能在各單元中附上編輯者的編輯說明，一方面有助於使用者瞭解編者在編輯上的規劃安排，一方面對於研究目錄的學者而言，亦能更切近編者的用心，如此會使本目錄更爲完善。其次，在目錄的正文部分，各冊目錄皆採表格式的呈現，體例大致相同，但由於編輯者的不同，難免有些相異之處！

關於內文中的出版年份，正編與續編的體例，正編對於國內的出版者用民國紀元，國外及大陸的出版者用西元紀元；續編則依律用西元紀年，故續編中的著錄方式在改除正編的缺點，方便資料的統一性。不同正文後附有西文期刊全名縮寫對照表、引用書目、姓氏筆劃檢字表、著譯者索引、西文著譯者索引。後四項正續七冊皆有附錄，唯獨「西文期刊全名縮寫對照表」一項，正編第七冊、續編第二冊及續編第五冊沒有附錄。

在編輯目錄的過程中，編者對於體例與內容的安排，一方面可能因目錄的性質不同而有所差異，一方面則取決於編者主觀的認知，故以下便就《中國文學論著集目》一書的內容，分別從體例及內容兩方面來介紹此目錄的編輯方式。

（一）體例方面

1.著錄款目，依表格式排列

各條目內容的排列，依次爲編號、篇（書）名、著譯者、出版處所、出處、頁次（數）、出版年月日，本目錄是依表格方式排列，編者在凡例中第六條指出：「本書著錄款目，依表格式排列，以資

醒目。」按編者之意，透過表格的方式來呈現使資料條目清晰，便於讀者瀏覽。不過就整體的編排來看，表格的呈現方式，雖看來條貫分明，但由於欄位的所能顯示的空間是固定的，對於篇名較長的資料，往往要使用更多行數，此時其他欄位便徒留許多空白，故這樣的編排方式無法充分利用版面。

2.專書與論文分開編排

關於專書與論文的呈現，大致可分為混合編排及分開編排兩種方式，本目錄是採分開編排的方式，一般來說，分開編排可分為兩種，一是將專書和論文分成兩大類，在各自分類編排，如《東洋學文獻類目》；一種是在各類之下，將專著和論文分開編排，《中國文學論著集目》便是採用這種方式。在查檢資料時，往往對於同一類資料必須翻檢專書及論文，在使用上有所不便，如此來看，混合編排的方式在集中反映資料的效果上較為顯著。

3.中外文資料分開著錄

現代的專科目錄收錄資料的範圍，較以往為廣泛，除了原有的中文資料之外，在《中國文學論著集目》中，更收錄了日文、韓文及西文資料。在中、外文資料的呈現上，主要是在各分類的類目下，按所收資料型態的不同分中文、日文、韓文及西文四部分，將中外文的資料分開著錄。分開著錄的方式，或許看來整齊，不過就使用者的角度來看，在查檢同樣一類的資料時，若這一類中，包含中、日、韓、西文四種型態的資料，那查檢時要翻檢四次，頗為不便。

4.專書書評附於專書之後

凡是書評的條目，皆附於此書之後，若有兩篇以上的書評，則按時間先後排列。如：第一冊頁13，第00205條《古典與現代》（周伯乃著，遠景出版社，民國68年11月）一書，第00206條著錄（書評）「古典與現代」後的資料。這樣的著錄方式，增加讀者查檢資料的便利性，不失爲一種好的方式。

5.將專書裁篇歸入相關類目中

在本目錄編輯時，編者對於專書內可與他類互通或兩用的某些部分裁篇別出，著錄在相關的類目中。如正編第二冊頁5第00080－00084條，皆由劉大杰所著《中國文學發達史》中裁篇而出，頁2第00025－00026條亦是此例；又續編第五冊頁38－42「晏殊」部分，在所收條目中可見編者將《宋詞鑑賞辭典》❸、《唐宋詞鑑賞辭典》❹、《宋詩大觀》❺等書裁篇別出，歸入相關研究類目中。

（二）內容方面

1.以中國文學爲範疇的專科目錄

我國文學的起源相當早，先秦的詩歌、散文，戰國的辭賦，這些內容深刻、文辭美妙、結構嚴謹、用韻精鍊的作品，是文學發展史上相當重要的一頁，不過先秦著作大多是以諸子之書或如《詩經》

---

❸ 賈筱新編：《宋詞鑑賞辭典》（北京：北京燕山出版社，1987年3月）。

❹ 蔣哲倫編：《唐宋詞鑑賞辭典》（上海：上海辭書出版社，1988年8月）。

❺ 繆鉞編：《宋詩大觀》（上海：上海商務印書館，1988年5月）。

般由後人匯集而成的文學總集，在當時並沒有專門記在文學著述的文學目錄。

戰國時期，屈原開拓了詩歌新的方向，兩漢時代辭賦的創作在前人的基礎下蓬勃發展，同時，應用文體的文章與日俱增，使得漢代作家的創作文體呈現多樣，數量也相當多。但藉由史傳中所著錄西漢作家的著述，都只稱其總篇數，未用「集」字，故當時應沒有個人作品集流傳。

一直到東漢，有了個人的作品集，魏晉時代出現詩文總集，而魏晉時期編製的文學目錄是很多的，一是集合多人著作的文學創作目錄：根據《隋書經籍志·史部·簿錄類》記載，有荀勗撰《雜撰文章家集敘》十卷、摯虞撰《文章志》四卷、沈約撰《宋世文章志》二卷。三書雖已亡佚，不過依姚名達於《中國目錄學史》的說法❻，文學創作總目錄的濫觴應是荀勗此書。而摯虞的《文章志》也是集合各家詩賦文章篇目的記錄。一是個人著述目錄：根據《三國志》、《晉書》的記載，有曹植著作之目錄、嵇康有《嵇康集目錄》。

唐宋以後，文學總集和個人著作目錄便不如前代發達，只有在歷代官私書目中略有著錄，如專錄某種體裁的文學作品目錄有沈建所撰《樂府詩集目錄》，有集一代文集之目錄，如《千頃堂書目》

---

❻　姚先生於《中國目錄學史》（臺北：臺灣商務印書館，1957年），頁335提到荀勗：「亦嘗爲秘書監，《隋志》載其《雜撰文章家集敘》十卷，新唐書作《新撰文章家集敘》五卷，雖無佚文可考，然敘錄二字古義相通。故《三國志·王粲傳》注又引作《文章敘錄》，新撰云者，前此諸家文章多單篇散行，今始撰爲一集也。新集敘云者，新集之敘錄也。故推原文學創作總目錄之淵源應以荀勗爲濫觴焉。」

中的《國朝名家文集目》……等，大體而言，在清末以前，文學書
目以詩文總集目錄和個人著作目錄編撰的較多。

　　民國以來，文學漸漸深入社會之中，舉凡詩歌、散文、小說、
戲曲都成為人們閱讀的素材，文學批評與研究也隨著文學作品的廣
泛閱讀而日漸受到重視。因此文學的目錄便從傳統的綜合性目錄劃
分出來，發展成各種文學書目論著的索引，而編者有鑒於民國以來
關於中國文學的研究專書及論文相當多，學者在查檢資料時，往往
要將民國初年以來的所有書目資料翻閱一遍才能蒐集齊全，有鑑於
此，為節省使用者的時間，編者擬以中國文學為範疇，將現有的書
目集合完備，編輯小組在序言中提到：

> 近代中外治中國目錄學者罕有專編中國文學論著之書目，
> 有則限於一體（如楚辭書目、中國小說研究論著目錄），或止於一
> 代（如唐代文學論著目錄）；且以中文為主，綜合各體，包括
> 歷代，網羅中外文者迄今尚未之見。本集目主要收錄八十
> 年來中外學者研究中國文學之論著。其目的在提供較為完
> 整之中國文學研究書目，以節省學者四處尋檢之勞，再則
> 亦藉以呈現近數十年來中外學者研究中國文學之趨向與發
> 展概況。

由此可知，編者期望藉由此目錄的編輯，能搜羅完整的中國文學研
究論著資料，以提供研究者使用，並期望透過此目錄內容的呈現，
觀察中外人士對於中國文學研究的方向及成果。正因編者的這份期
待，因而促成這部目錄的產生。這樣的一部目錄，在中國文學的發
展史上，應佔有一定的地位。

2.收錄資料兼及翻譯、校注等具參考性的著作

在所收錄的資料當中，以中國文學研究之論著爲主，另外兼及翻譯、校注、索引、書誌、資料彙編等具參考價值之作。如正編第一冊頁18中，在通論中「專書」類後有一「附錄」，在附錄內容中包括韻編（《全上古三代秦漢三國六朝文作者韻編》）、引得（《全上古三代秦漢三國六朝文作者引得》）、索引（《文學論文索引》）、辭典（《中國文學家大辭典》）、年表（《中國文學年表》）、百科全書（《中國文學百科全書》）……等資料。

又如正編第四冊頁124「王維」資料部分，附錄有第02071條王維詩索引、第02073條王維參考文獻、第02074條王維詩文目錄、第02075條王維詩索引等，像這類的工具書附錄於後，可提供讀者作參考，節省讀者找尋相關資料的時間，對讀者而言，具有相當大的功用。

三、《中國文學論著集目》的缺失

這樣一部以「中國文學」爲範疇的專科目錄能順利成書，實在要感謝編輯們的辛勞付出，才能讓後人享受查檢資料的便利。然而，這樣一部目錄因爲範圍涵蓋較廣，加以各單元編者又不同，因此能免在編輯體例及內容上，會有些疏漏，在此筆者藉由平日查檢此目錄的經驗，提出對於目錄體例及內容的一些看法，以供使用者及編者參考。

（一）體例方面

1.書中凡例第一條指出：「本集目正編、續編各分七單元，每一單元視篇目多寡分冊。」筆者對於此例不甚理解，所謂「視篇目多寡分冊」之標準何在？經筆者統計正篇及續編中各冊所收錄篇目之總數如下：

冊數（正編）	篇目總數	冊數（續編）	篇目總數
一	9244	一	4515
二	7063	二	3690
三	6044	三	2286
四	11015	四	8913
五	6763	五	5145
六	8013	六	5949
七	14854	七	7733

若依編者所言，按篇目多寡分冊，則七冊之篇目總數應取總篇目之平均值，則所得之篇目數各冊皆應相近，故此例有疑問之處；按各冊之名稱來看，單元之命名應無關乎篇目多寡，乃依朝代為分類依據。

2.在附錄中每單元皆附有「引用書目」一項，然在「引用書目」的體例各冊並未統一，以正編七冊為例：一類是有註明出中文、西文的，如第一冊，其餘各冊皆未註明中西文書目。其次，中西文書目的編排方式沒有一定的規則，完全取決於編者的主觀，以中文的

引用書目爲例，各冊中不見編者在排列上有依時間先後或筆畫順序
排列，同時各冊中有相當多是重複使用的書目，但編排的順序卻又
各冊不一，這樣的方式的容易造成使用者的困擾。此外，西文引用
書目中，第四冊未翻譯成中文，其餘各冊皆有翻譯爲中文，故「引
用書目」部分在體例上是稍有疏漏的。

　　3.索引的部分，本目錄附有著譯者索引暨姓氏筆畫檢字表，一
般目錄在著譯者索引的編排上，多按筆畫多寡爲序，筆畫相同者再
依「點、橫、直、撇」爲序；然可藉由檢字表中的順序來檢視編者
所排列的先後順序使否有規則可尋？如以第一、二冊爲例互相對
照，第一冊順序爲堅、婁、寇、宿、尉、崇、崔、常、康、張、御、
戚、敖、啓、敏、晚、晨、曹、望、梁……；第二冊爲陳、許、陸、
郭、張、梁、崔、戚、培、雪、常、陶、梅、犁、眾、授、曹、寇……。
由此對照，便可得知各冊在著譯者的編排上並沒有一定的標準。

　　4.在各冊中關於單篇論文的著錄方式，在「出版處所」一項是
不會標明出於何地的，唯獨在正編第二冊中，大部分的單篇論文都
會在「出版處所」中標明出處，如頁1第00010－00014條，都有標
明，然第00007—00009條卻沒有標明，況且00009與00011兩條皆出
於「新青年」，何以前者未標而後者卻又標註。像這類的情形在本
冊中比比皆是，不知編者在標註的過程中其標準爲何？又專書的部
分在體例上有與其他各冊相異，第二冊將專書中「出版處所」下的
欄位填上「出版地」，而用於期刊的「出處」則用來標明「出版者」，
其餘各冊皆將專書中的出版項填入「出版處所」一欄中。

　　5.按編者凡例中第三項說明中，得知每類之下中、外文的資料
是分開編排的，但在第六冊正續編中，皆出現中、外文資料混合排

列的情形。如正編頁4：貳、金代文學中「一、通論」部份單篇論文中，附有一篇日文（00079）、一篇韓文（00080）、四篇西文（00081－00084）；參、諸宮調中「一、通論」部份有一篇日文（00228）、五篇西文（00229－00233）。在以元代詩文為例，在第二部分「作家及其作品」中，分中、外文資料的只有耶律楚材、元好問、倪瓚三人，但內文中將中、外文混合編排的，如頁38耶律鑄雜有一篇日文（00580），頁38郝經雜有一篇西文（00586），頁39－40方回雜有三篇日文（00616－00618），像這樣的例子在第六冊正續兩編中相當多，與凡例不合，應為編者之疏漏。

（二）類目方面

1.關於類目的問題，儘管本目錄的分類大體已能概括中國文學研究的重要議題，但在分類上仍有其不足之處。以第一冊類目為例，在第參類「文詩詞曲賦」中有「詩詞合論」、「詞曲合論」，然而卻未見「駢散文合論」一類，本類中只分有「駢文」及「散文」兩類。經考察二類中的篇目條文，關於二類合論的條目卻不少，如第04038條、第04047條、第04063條……等。在互相對照後又發現有數條僅見於「散文」而不見於「駢文」類，故在此若能另立一類「駢散文合論」，將提到二者的合論篇目能獨立為一類，將可便於讀者查檢此類篇目。

又第五冊論及「蘇軾」及「辛棄疾」的部分，關於二人合論的文章相當多，在本目錄中未別立「蘇辛合論」的部分，因此要查檢二人合論的內容時還須翻閱這兩部分才得以搜羅齊全。另外同一篇目卻被歸於不同類的分項中，如第03530條〈蘇辛派詞之淵源流變〉

一條見於頁197，為「蘇軾」條目下的第四項「詞」類，而此條在「辛棄疾」項中，卻歸於第一項「通論」類為（頁295第05266條）；又第03255條〈論蘇辛詞〉（頁184）被歸於蘇軾的通論，但在第05509條（頁307）卻歸於辛棄疾的詞類，如此相同篇目的歸類問題並沒有規則可尋，如此造成使用者很大的疑惑，究竟各作家「通論」所收的條目與其他分項所收的條目之依據為何？

2.第二冊中，以《詩經》部分為例，在分類上分「通論」、「風」、「雅」、「頌」及「賦比興」等五類，「通論」中所涵蓋的內容相當廣，舉凡作者、字義解析、詩序問題、研讀方式、采詩及刪詩等問題皆歸於「通論」一類中，如此使用者在檢索的過程中勢必要花許多的時間找尋需要的資料。因此這部分的分類應有在考量的必要；此外，在凡例中編者指出「每一部份包括論著、翻譯、校注、書誌、索引、資料彙編等項，各項按年月排列」。然而在《詩經》部份中，有關於翻譯、校注一類的著作，卻未見編者別立一項，書中所呈現的只是一大筆書目，這部分並未能按凡例來編輯，實有不足之處；其他如正編第一冊頁20「通代文學通論」的部分，這一大類中，包含的範圍相當廣，內容有文體論、文學起源說、文筆之辯、文學創作論及文學與各學科的關係，在這樣的編排方式下，使用者在找尋資料時必須全部瀏覽，若能就其中內容在加以細分，應會更方便查檢。

3.以第五冊《兩宋文學論著集目》正續篇為例，將正續二編目次相對照，正編目次在「作家及其作品」下分為一是「以生卒年可考者」及「生卒年資料不全者」二類，然在續編中，則以「南宋」、「北宋」、「南北宋」為分類。同時，正篇將毛滂、李清照、韓駒、

朱弁等人歸入「生卒年資料不全者」，但在續編又歸於「生卒年可考者」一類，在分類上有在商榷之必要。

（三）內容方面

1.檢視蒐羅資料的完備

一部好的專科目錄，應力求將相關的研究書目蒐羅齊全，故在內容方面，選定不同的主題，再透過《集目》中所輯成的書目資料與現有的幾部專科目錄作比對，藉以檢視《集目》蒐羅篇目的完整性。

（1）正續編第六冊「湯顯祖」部分

首先統計各類目下篇目總數：

正編頁384－393	續編頁292－307
(1)綜論　06460-06519＝60條	(1)總論　04446-04555＝110條
(2)牡丹亭　06520-06584＝65條	(2)臨川四夢　04556-04569＝14條
(3)南柯記　06585-06589＝5條	(3)紫釵記　04570-04578＝9條
(4)邯鄲記　06590-06596＝7條	(4)牡丹記　04579-04685＝7條
(5)紫釵記　06597-06598＝2條	(5)南柯記　04686＝1條
	(6)邯鄲記　04687-04694＝8條
	(7)紫簫記　04695-04699＝5條
正編共有139條	續編共有254條
合計：正續兩編共蒐羅393條篇目	

　　其次，再以陳美雪所編《湯顯祖研究文獻目錄》❼收錄之條目相比較，此目錄是一部以湯顯祖個人為專題的專科目錄，收錄資料範圍是西元1900－1995年，包括臺灣、大陸、日本、歐美等地研究湯顯祖的專著和論文條目。此目錄所收的專著包括單行的專著和收入叢書者；論文包括期刊論文、報紙論文、論文及論文、學位論文、學術會議論文等。所收的專著及論文條文採混合排列。

　　上編為湯氏著作，共收羅351條；下編為後人研究論著，分傳記與年譜、作品總論、紫簫記、紫釵記、牡丹亭、南柯記、邯鄲記、詩文與小說、評點作品、湯沈之爭、學術活動、對國外的影響、論文集、書目文獻等細目，共1134條。

　　以下便就「紫簫記」與「紫釵記」的類目總數相比較：

紫簫記	紫釵記
(1)概述　0780-0793	(1)概述　0800-0811
(2)作成時代　0794-0797	(2)作成時代　0812
(3)札記　0798-0799	(3)本事探源　0813-0816
	(4)思想研究　0817-0820
	(5)寫作藝術　0821-0822
	(6)人物研究　0823-0826
	(7)札記　0827
	(8)比較研究　0828-0829
	(9)改編劇本　0830-0838
共20條	共39條

---

❼　陳美雪編：《湯顯祖研究文獻目錄》（臺北：臺灣學生書局，1996年12月）。

在「紫簫記」類下，正續編共有5條；陳氏所收共有20條，除去不符合正續編蒐羅期限的2條，剩餘18條中，其中3條與正續編所收吻合，第04696條收入「紫釵記」一類中，第04695條陳氏書中未收。又「紫釵記」中，正續兩編共收得11條；陳氏所收共有39條，去除不合期限的3條，則有36條。

(2) 正續編第五冊「張先」部分

正編頁124-125	續編頁36-38
02192—02210	00503—00538
合計正編共19條	續編共36條
合計二編共收55條	

再與黃文吉所編《詞學研究書目》❽相比較，由於《詞學研究書目》蒐羅資料範圍是西元1912—1992年，故去除不符時限的資料，關於「張先」類目下，共有39條。不過在《集目》續編中有27筆是由《唐宋詞鑑賞辭典》及《宋辭鑑賞辭典》中裁編而出，這部分黃氏未收，因此去除此27篇，《集目》正續兩編共得18篇，仔細與黃氏所錄條目比對，仍有漏收之條目。

(3) 正續編第二冊「諸子散文」類下「孔孟荀」部分

正編頁次為142－148，續編頁次為142－144，由於此部份涵蓋

---

❽ 黃文吉編：《詞學研究書目（1912－1992）》（臺北：文津出版社，1993年5月）。

孔孟荀三人的相關論著，而筆者用以相比對的書目是《孔子研究論
文著作目錄》❾，此目錄主要收錄自西元1949－1986年中國大陸地
區研究孔子的相關論著資料，臺港地區能見的資料亦收錄其中，故
在此是以此目錄中所收關於孔子「美學及文藝思想」的研究條目與
《集目》中的條目作比對，共多了21條目。

　　以上藉由三項不同主題，將《集目》正續編所收的資料條目與
現有的幾部專科目錄相比較，得知本目錄在資料條目的蒐集上並不
夠完整，似乎距離編者所期望能成為一套完整的中國文學專科目錄
的目標，尚有一段距離。當然或許用來作為比對的幾套專科目錄都
是研究主題較小的目錄，有人可能會質疑用這些目錄作為對照組的
客觀性，但為能使目錄充分達到查檢資料的便利性、精確性，在編
輯目錄時便應力求完整，否則就失去了此目錄的價值。然就《中國
文學論著集目》的名稱來看，編者或許期望的是將現有的各類書目，
能集合唯一個完整的書目，以方便使用者檢索資料。對於同時期出
版的一些專著與論文便有所忽略，未能蒐羅完備，實在十分可惜。

　　2.內文中的疏漏

（1）引用書目中著錄項資料不全

　　在續編第五冊中，引用書目中有幾本書的資料並不齊全，包括
《宋詞鑑賞辭典》、《宋詩大觀》、《唐宋詞鑑賞辭典》、《唐宋
古文新探》等書，在內容上皆未註明出編者的姓名，故在資料上並

---

❾　中國社會科學院哲學研究所資料室編：《孔子研究論著作目錄》（濟南：
　　齊魯書社，1987年5月）。

不齊全。

（2）引用書目中書名錯誤

在續編第五冊中，編者將黃文吉所編的《詞學研究書目》著錄為《中國詞學書目》，書名著錄錯誤，可能造成使用者的困擾與不便，應避免這種錯誤。

（3）其他

正編第四冊頁111「王維」資料部分，第01832條篇名處空白，又附錄第02072條，此流水號的位置有誤，因前一條的出版項的內容較長，造成其他欄位較多的空白，因此在排版時可能發生錯誤，將此條錯置，又此條的篇名處僅著錄（書評），其他欄位皆爲英文，故此條應爲一西文書評，但卻未能標示清楚，恐怕造成不便。

四、結　語

透過編者序言中的介紹，可知編者有意藉此目錄提供學者較爲完備之中國文學研究書目，以節省學者四處尋檢之勞，更期望能透過目錄的成果，呈現出數十年來學者研究中國文學的發展情形。編者的期望當然令後學們感到編成這樣的一部目錄的確是十分必要的，然而正因爲這個目錄涵蓋的範圍相當廣，各單元又由不同的主編來從事編輯，因此可能造成目錄在編輯時會有許多溝通不良的地方，進而造成資料蒐集上的缺漏。

基本上，以朝代來作爲編輯的一個分段，而各個朝代有由不同主編來編輯的方式，可能會產生許多問題。首先，就編者來看，每個朝代的主編除了要有豐富的學術涵養外，是否有足夠的學養來從

事編輯目錄的工作？其次，再就朝代為單元分段的依據來看，用朝代來作為劃分的依據，其實並不是很好的分類方法，就中國五千年的文學發展來討論，筆者以為用文學體裁來作為單元的分段會較周全，中國文學部外乎詩、詞、曲、散文、駢文、小說……等體裁，若能打破朝代的限制，用體裁來作為分類的依據，應會有一番不同的氣象。

再就這部目錄來看，綜合上述的內容，不難發現正因各冊編者的不同，使得各個單元在部分體例上難能求得一統；至於類目上，大體而言，書目資料皆能歸於適當的類目下，但往往資料條目繁多，過於龐大時，內容則呈現雜亂無章的現象，此時類目便無法充分發揮作用，因此在部分的分類上，若能再詳加細分，將會增加查檢時的方便度；最後，關於蒐羅資料的問題，本目錄在資料的完整度上實嫌不足，編者或許以編輯《集目》為目標，僅就現有的目錄加以蒐羅整合，然為求能提供完整資訊，編者應從事補編工作，以使此目錄臻於完善。

詞學研究目錄的開創與革新
——評《詞學研究書目》與
《詞學論著總目》

謝旻琪 *

書　　名：詞學研究書目（1912－1992）
主　　編：黃文吉
編　　輯：劉克敏、曾秀華等
冊　　數：2冊
出 版 者：文津出版社
出版日期：1993年4月

書　　名：詞學論著總目（1901－1992）
主　　編：林玫儀
編　　輯：曾純純、張雁雯等
冊　　數：4冊
出 版 者：中央研究院中國文哲所籌備處
出版日期：1995年6月

＊　東吳大學中國文學系碩士生。

一、前　言

　　任何一門學術研究的基礎，都在於是否能有效地掌握資料。如果資料不完備，就無法得知前人的研究成果，有那些問題尚待解決，或是有那些問題是前人早就研究過的，如此勢必會影響研究的結果。然而如果資料完備，但卻由於鮮爲人知，學者做研究的時候往往需要費時查詢，平白浪費了不少精力。爲了解決這樣的困境，最好的方式就是借助好的專科目錄工具書。

　　詞學的專科研究也是如此。詞自萌芽至今，已有千餘年的歷史。千餘年來，出現了眾多傑出的詞人和詞作。至於詞學的研究，至少也經歷了數百年的歷史。近年來，關於詞學的研究成果更是豐碩，在大陸甚至還出現了不少詞學的工具書，如王洪主編《唐宋詞百科大辭典》（北京：學苑出版社，1990年9月）、張高寬等主編《宋詞大辭典》（瀋陽：遼寧人民出版社，1990年6月）等，而且這些書裏面也附有唐、宋詞研究相關論著目錄，但都是斷代而有選擇性的，無法全面反映詞學研究的總成績。❶因此，一部好的，通代的、並且全面性的詞學研究目錄就是研究詞學的學者所急需的。

　　有鑑於這個情形，九〇年代出現了兩部詞學目錄，一爲黃文吉所編的《詞學研究書目（1912－1992）》（臺北：文津出版社，1993年4月），一爲林玫儀所編的《詞學論著總目（1901－1992）》（臺北：中央研究院中國文哲所籌備處，1995年6月）。這兩部空前的詞學書目，收

---

❶　參見黃文吉《詞學研究書目（1912－1992）》自序。

書年限長，涵蓋範圍廣，為現今詞學研究者帶來不少便利之處。

　　這兩部詞學研究目錄出現的時間僅相隔兩年，收書的期限也十分相近，所以在做蒐集資料工作的時間也十分相近。然而兩者編輯的方式有很大的差異，對於專科目錄的許多問題處理也有不同，其中自然各有得失。黃文吉《詞學研究書目》編輯工作從民國八十年開始，八十二年出版；林玫儀《詞學論著總目》則從民國八十一年開始編輯，當林玫儀開始編輯時，黃文吉《詞學研究書目》早已定下了體例，所以可以參考黃文吉《詞學研究書目》，加以增補改正。黃文吉《詞學研究書目》先出，可看作是詞學研究目錄的開創者，林玫儀《詞學論著總目》在後，可以看作是革新者。本文即擬以這個觀點，將這兩部詞學目錄作一評介，首先敘述黃文吉《詞學研究書目》開創之功，然後陳述林玫儀指出《詞學研究書目》中的缺失，以及《詞學論著總目》中的創新體例，然後再看兩者對於體例上處理方式的比較，最後再作一結語。

二、黃文吉《詞學研究書目》的開創之功

　　黃文吉《詞學研究書目》是詞學研究上第一部專科目錄，因此有許多開創性的特點：

（一）搜羅資料廣泛

　　本書搜羅資料十分廣泛。從收書的時代來看，本書最主要是在於呈顯詞學研究總成績，所以所收錄詞學研究的領域和對象，並不限於近代以前，而是從以前延續到現代，包括民國以後的詞人及詞

學，這種新的視野是之前的研究者或是詞學工具書所不及的。另外，從地域上來看，收書的範圍兼含了臺灣、大陸、香港、新加坡、日本、歐洲、美國、蘇聯等地區❷；只要在搜集資料的年限內，力求凡有目必有錄。所收的條目，計專書2,500餘種，論文10,200餘篇，參考的書目共有117種❸，這種規模在詞學的研究上可謂是前所未見的。

（二）出處、版本齊全

爲了能發揮目錄「考鏡源流」的功能，本書遇到一文的多種出處或一書多種印本，皆參考林師慶彰所編《經學研究論著目錄》的著錄方式，篇目的版本、出處列舉完備。比如鄭騫〈詞曲的特質〉一文，書中即列舉了六種刊載此文的期刊和書籍，讀者在檢索的時候，如果檢索其中一種未檢索到時，還可以再檢索其他的出處，爲讀者帶來莫大的便利。另外，有些著作先後曾經由其他出版社出版，都按出版時間先後加以著錄。尤其是戒嚴時期，許多出版社都曾翻印大陸的書籍，爲了避免被查禁，於是將作者、書名竄改一番，書中也竭盡所能，將版本源流一一考定。

（三）架構縱橫交錯的分類編排系統

本書所編列的書目架構，精細而且經緯分明，首先第一類爲總論，分爲概述、合集、選集、詞史、起源、發展、派別等三十三門

---

❷ 黃文吉《詞學研究書目》編輯說明第二點。
❸ 同註❶。

類，接下來再依時代先後，以每位詞人、詞學家爲主軸，立爲類目，每位詞人又分背景資料、作品研究兩類，其中背景資料包括傳記、年譜、生平考辨、思想、著作等。作品研究則分爲作品總論、作品分論兩類，作品總論按情形細分爲詞集、概述、內容、思想、形式、技巧、藝術、意境、風格等類目，作品分論則爲以單篇詞作作爲研究對象，以詞調爲類目，而詞牌的排列以條目多寡爲序，多的在前面，少的在後面，如此也可以看出作家作品受後人喜愛的程度。比如柳永，在作品分論的部分即爲：A.綜述，B.雨霖鈴，C.八聲甘州，D.望海潮，E.其他，「雨霖鈴」共收了四十一條，「八聲干州」收了十一條，「望海潮」收了九條，「其他」收了兩條，從這裏就可以很明顯看出，柳永的作品中最受到後人重視的詞牌就是雨霖鈴。這樣的分類方式很容易就可以看出學者研究的重心以及成果，具有統計分析的價值。

此外，如此編列條目的方式也非一成不變，有些詞作家有特別受人關注的主題，比如說李白的詞作眞僞很受到爭議，所以在李白條下列了「作品考辨」的類目，又如李清照是否改嫁的問題也是歷史上爭論不休的懸案，而李清照的詞作風格又和她一生的際遇有很大的關聯，於是在李清照下特列「改嫁問題」的類目。所以像這種彈性的分類方式，可以順應各個詞人的特性，也同時客觀顯示出詞學界的研究現象。

三、林玫儀《詞學論著總目》的改良與革新

林玫儀《詞學論著總目》出現時間，較黃文吉《詞學研究書目》

爲晚，所以站在前人已經走過的路上，《詞學論著總目》可針對黃
文吉的《詞學研究書目》的缺失作改進，並且使得詞學的目錄更加
完善。林玫儀《詞學論著總目》有以下幾點特色：

（一）擴大收羅資料的範圍

　　《詞學論著總目》的起始時間爲一九〇一年，下迄一九九二年，
只要是詞學資料，包括專著和單篇論文，皆在搜羅之列。資料的來
源也相當廣泛，包括臺灣、大陸、香港、新加坡、日本、韓國、美
國、加拿大、法國、蘇俄、德國、義大利、瑞士、匈牙利等地，去
其重複，加以查核，最後共得24,989條（附錄鑑賞辭典資料共一萬餘條未
計入）。

（二）分類精細

　　《詞學論著總目》中分類極爲細密，全書共分四大類，第一類
爲「詞學總論」，第二類爲「詞籍」，第三類爲「詞學雜著」，第
四類爲「詞家與詞作」：

　　1.詞學總論：共分爲二十目──綜述、特質、起源、流變、派
別、內容、風格、意境、體制、結構、詞調、詞與音樂、詞與舞蹈、
詞譜、詞韻（韻部、韻書）、格律、技巧、詞論詞話、學詞法及鑑賞
·等。

　　2.詞籍：收錄叢編、合集、總集、選集、書目、索引、辭典、
詞學期刊以及論文集等。個人的別集置於第四部分「詞家與詞作」，
其他關於作品搜羅、訂補而不屬於總集或別集者，則歸於各代總論
之「資料」部分。

3.詞學雜著：總共分為三類——(1)札記、隨筆、翻譯、詞彙、用語、名句、聯帖；(2)序跋、論詞書信、論詞日記；(3)研究概況、消息報導。

4.詞家與詞作：分為歷代詞、唐五代詞、兩宋詞、遼金元明詞、清詞、近現代詞、域外詞學等類，每一類先總論一代，再分論各個詞人。

（三）對黃文吉《詞學研究書目》中缺失的改正

《詞學研究書目》為第一本詞學研究論著目錄，功不可沒，但資料繁雜，缺失是在所難免。林玫儀《詞學論著總目》序言中，即指出了許多黃文吉《詞學研究書目》的缺失：

1.誤收錄內容非詞的資料

有些條目標題為詞，但實際上內容為詩的，如木下彪等論王國維〈頤和園詞〉、杜若論王湘綺〈圓明園詞〉、林海音等論〈清宮詞〉，以及曾仁杰《金湖小農詞三十韻》等，內容實都為詩；李正宇〈下女夫詞〉實際上是變文；羅錦堂〈詞話中的花關索〉為曲；趙琴論王文山〈拋磚詞〉為歌；余青〈談詞品〉乃為文法上語詞的分品；甘雨〈詞的選擇與創造〉實為談如何選用文詞。上述皆為非詞卻誤收入。

另外，還有內容與詞無所涉的資料也誤收入，如劉逸生〈江湖憂國識巴丘〉是論陳與義的七律〈巴丘書事〉；前川幸雄〈西溪漁唱研究序說〉是論漢詩；周生春〈踏逐釋義商榷〉為論宋代俗語；王文才〈冀國夫人歌詞及浣花亭〉及毛一波論吳梅村〈汲古閣歌〉

都爲歌詞或歌，也不是詞。

　　2.作者時代錯置

　　如嚴繩孫與朱彝尊並稱「江南三布衣」，石芝爲嘉慶、道光年間人，莫亭芝活動時間主要在道、咸、同，而許南英爲光緒十六年進士，黃文吉《詞學研究書目》中卻將嚴繩孫《秋水詞》、衣萍〈記石鶴舫的詞〉、顧樸光〈莫庭芝詩詞藝術初探〉和毛一波〈許南英的詩詞〉等皆歸入民國詞人中，並且顧樸光誤爲「照朴光」。

　　3.名號、作者混淆不清

　　如將于北山與施蟄存之別號「北山」混同，施先生署名「北山」的作品皆被歸入「于北山」之下；〈遯盦樂府序〉作者應爲夏敬觀，誤作「龍沐勛」；〈讀雲瑤雜記〉作者應爲趙尊嶽，誤作「張爾田」。

　　由以上林玫儀所列舉的錯誤看來，資料的查檢是十分重要的，如果一條資料查檢不愼，很容易就會造成讀者的誤解。所以林玫儀在序中稱，在編輯《詞學論著總目》的時候，對於查檢資料更加小心，查核資料的時間幾乎爲蒐集資料的兩倍。

（四）開創新的體例

　　林玫儀《詞學論著總目》中有一些新開創的體例：

　　1.運用參見之法

　　一般論著內容如涉及兩個或兩個以上的主題或詞家，一般書目往往有兩種處理方式，一種就是並列，一種就是只列於一處，於他處註明參照某類。像黃文吉《詞學研究書目》即屬於後者。前者重

複注錄，後者則需要重新檢索。所以《詞學論著總目》中設計了參
見之法，若某條分見於兩處以上，則將條文至於關係較密切或時代
較早處，其餘各處則標明該條流水號，讀者查檢至此，僅需按號碼
繼續檢索，不但可以避免重複過多，而且不至於漏失資料。林玫儀
的序言中舉了一個例子，以下四條皆與史達祖有關：

> 07682　唐圭璋　梅溪詞選釋序
> 15004　繆　鉞　靈谿詞說（續九）──論黃庭堅詞、論史達祖詞
> 15697　夏承燾　天風閣讀詞札記──片玉集、梅溪詞、後村
> 　　　　　　　　長短句、竹山詞
> 19958　金啓華　清空峭拔的白石詞及梅溪詞

　　《詞學論著總目》的做法是將第一條歸入「詞學雜著」類「序
跋」之下，第二條歸入黃庭堅，第三條歸入周邦彥，第四條歸入姜
夔，並於史達祖「總論其詞」一節後註明：「參見：07682，15004，
15697，19958」。

　　2.酌加按語說明

　　有些論著在篇名上無法判定內容，如不查原典則很難得知其內
容為何，尤其是札記、隨筆類，所以書中按照情形加按語，以方便
讀者。序言中舉了五種情形：

　　⑴篇題無法望文生義者，如原田憲雄〈過雁〉一文下有按語云：
　　　「按：李清照〈聲聲慢〉。」
　　⑵書名與內容略有出入，在分類上需作調整者，也加上按語。
　　　如吳丈蜀《詞牌例釋》一書，內容實為詞譜，於是將之歸

於詞譜類而不入詞牌類，並加上按語：「按：爲簡明之詞
譜。」

(3)略知其範圍，而未詳其說者，如蟄庵〈強煥〉一文下云：「按：
考其人即溧陽丞強彥文。」

(4)札記隨筆類往往涉及範圍廣雜，所以也一一考察原文，如鄭
文焯遺著〈半雨樓雜鈔 (四) 〉一文下云：「按：校夢窗〈江
南春〉、白石〈石湖仙〉。」

(5)序跋中若沒有原書作者的姓氏，則加上按語，如葉恭綽〈款
紅樓詞跋〉一文下云：「按：梁鼎芬著。」

3.收錄鑑賞辭典

本書的另一個特點就收錄了鑑賞辭典。近年來有許多詞的鑑賞
辭典，但學者往往以爲鑑賞辭典的學術價值不高，所以就有所忽略。
然而林玫儀認爲，一詞裡面的一字一句歷來往往有許多不同的說
解，如能將鑑賞辭典中的資料加以合併，按照作者、詞牌等重新編
列，置於附錄中，對讀者而言不啻是增加了一萬多條資料。

4.改進人名索引

一般的人名索引對於一人有數名的處理方式，大部分是以其中
一名爲主，將所有名字發表的論著集中在一處，於其他名號下註明
「見某某」，如此就會有兩個不便之處，一爲必須要檢索兩次才能
找到該條，二爲只能知道某人即某人，至於其他名號則不得而知。
林玫儀針對這兩點，將人名索引加以改良，首先以作者本名爲主體，
其他名號下註明「即某某」，並註明條號，然後所有名號除了按筆

畫順序排列外，另外統一序列於本名之下，並以符號△表明此爲同
一人，讀者只要查詢某一名號，即可查得此作者的所有名號。林玫
儀序言中舉一例，如龍沐勛，讀者查「籜公」，可立即得知以此名
號發表的論著，若想再進一步了解龍沐勛的著作，則可以「龍沐勛」
之下查得「△龍榆生」、「△榆生」、「△龍元亮」、「△籜公」、
「△俞耿」、「△無覺」、「△忍庵」、「△忍寒居士」等不同名
字的條號，不但可以知道龍沐勛詞學資料的全貌，也可以知道他發
表詞學論著曾經使用過那些名號。

（五）增加新的附錄

本書中共有八種附錄，其中值得一提的有二：

1.1901年以來重要的詞學叢刊目錄

叢刊中的子目對於詞學研究者來說，有極大的參考價值，所以
林玫儀將叢刊中的子目一一列出，不但省下不少篇幅，而且也保留
了各叢刊的特色。

2.1901年以來三大詞學期刊總目

近世重要的詞學期刊大抵有三：一爲《詞學季刊》，二爲《同
聲月刊》，三爲《詞學》。此三部期刊皆因爲時局動亂，發刊難以
順利，或是流傳不廣，讀者難以取得資料。所以林玫儀將這些篇目
一一錄出，成爲詞學研究的重要指標。

四、兩本詞學目錄的比較

　　《詞學研究書目》和《詞學論著總目》二書有許多地方採用不同的編輯方式，比較如下表：

	黃文吉《詞學研究書目》	林玫儀《詞學論著總目》
	編　　輯　　體　　例	
年限	1912-1992 (民國以來)	1901-1992 (二十世紀以來)
分類	分為總論和作家分論兩類	分為四大類：詞學總論、詞籍、詞學雜著、詞家與詞作
「合論」的處理	如三李、蘇辛、周姜等常見論題，則立出類目，將條目置於時代較前之作家，時代後的作家亦標出類目，並註明見某某作家，不再重複著錄。其餘論及兩個以上之作家，則放在「總論」的「作家合論」類，如果只論及兩個作家，則用互見法，重複著錄	參見法，將條文置於時代較前之處，其餘各處則標明該條號碼
外文論著	英、日文按原文著錄，英文後面附中文翻譯，其他文則譯為中文	除俄、韓翻譯成中文外，其餘皆按原文著錄。除了英文外，其他前面均加上符號，◇為日文，△為韓文，☆為法文，◎為俄文，⊕為德文

	黃文吉《詞學研究書目》	林玫儀《詞學論著總目》
作　者　索　引		
排序方式	先按姓氏筆畫多寡排列，筆畫相同者按點、橫、直、撇排序	先按姓氏筆畫多寡排列，筆畫相同者依214部首排列；首字相同，若字數不同則按字數多寡，字數少者在前；若字數相同者，則以第二字為準，仍依先筆畫再部首的標準。中文以後接英、法、德等國文字，皆按字母排列
別號和筆名	歸於本名之下，並於別號或筆名之下註明「見某某（本名）」，如以「因百」之名發表的資料置於「鄭騫」之下，並在「因百」下括號註明「見鄭騫」；以「夏瞿禪」之名發表的資料仍置於「夏承燾」之下，在「夏瞿禪」下括號註明「見夏承燾」	在不同的名、字、號底下皆註明「即某某」，一一附註於作者本名之下，並加上△符號，表示為同一人，另外，在各名號下條號皆予保留
名字遭竄改	分別著錄，不與本名合併	如王力被改為「王子武」，則僅註明「即王力」，於「王子武」底下不再列條號
外籍作者	西文以英文字母排序，有中文名者，與中、日、韓混合排列。如韓文有譯音者，附於西文之後	如學者有中文名字，則於其後以括號註明「即某某」，並於本名下互見
大陸	將簡體字統一還原為繁體，比	如能判斷其為簡體字者則

	黃文吉《詞學研究書目》	林玫儀《詞學論著總目》
作者簡體字	如謝云聲即著錄「謝雲聲」	改爲正體，如不能判斷者就依原來字體。如云有時爲「雲」的簡體，「云告」、「謝云聲」等則未必是，所以照舊，不改爲「雲」

　　從以上看來，不同的編輯者往往有不同的編書方式，因爲個人的主觀而有不同的取捨，而各有優劣。林玫儀《詞學論著總目》有前本可因，所以收集資料更加完善和精密。《詞學論著總目》注意到《詞學研究書目》中有欠完備的地方，比如別號和筆名的問題，黃文吉將所有資料通通歸於本名之下，如果讀者所查檢的資料爲以筆名或別號發表，則需查檢兩次，林玫儀將各條資料仍繫於各名號之下，不但可以節省查檢時間，對於同一作者所使用過的名號也可以一目了然。

　　然而並非《詞學論著總目》的出現，就可以完全取代《詞學研究書目》。有許多《詞學論著總目》的編輯方式反而未必較便利讀者，比如作者索引的部分，黃文吉本的排序方式是按姓氏筆畫由寡至多排列，筆畫相同者以點、橫、直、撇排序，此爲讀者查檢習慣的方式，林玫儀本首先按筆畫由寡至多排序，但筆畫相同者依214部首排列，首字相同再按筆畫排序，這方法看似科學，但對於讀者來說反而複雜許多。還有作者名字遭竄改的處理，黃文吉本採分別著錄的方式，不與本名合併，這是比較方便的，像林玫儀本如「王力」被改爲「王子武」，在「王子武」下僅註明「即王力」，不再

列條號，如此一來，如讀者不知「王力」曾被改爲「王子武」，則無法查檢到該條資料。

其他林玫儀《詞學論著總目》嘗試增加黃文吉《詞學研究書目》書中所沒有的部分，如「酌加按語說明」的部分，這十分具有開創性的價值和意義，是其他目錄所沒有的。但有些按語就有點多餘了，比如說吳丈蜀《詞牌例釋》，內容爲詞譜，《詞學論著總目》中實已將此書歸於詞譜而不入詞牌類，已經可說是很詳實了，卻又加上按語：「按：爲簡明之詞譜。」還有，《詞學論著總目》中增加了八種新的附錄，把現今不容易見到的詞學叢刊和期刊列出子目，保留了這些刊物的原貌，功不可沒。從另一面來說，如此儘管可以客觀顯示出這些刊物的原貌，但是在查檢上就無法發揮功能。而在前面目錄的部分，卻仍然將這些條目裁篇置於各類中，增加了許多條數。在目錄的「期刊」一類中，又將《詞學季刊》、《同聲月刊》、《詞學》等刊物的卷期數一一羅列，每一卷或期皆爲一條資料，並且未列出該卷或該期中的子目。像這樣反而只是平白增加許多無用處的資料，因爲既然這些期刊已經羅列子目置於附錄中，又將卷期列在目錄「期刊」一類，其實是毫無意義的。

另外值得一提的，就是兩本書的分類方式有很大的不同，事實上黃文吉《詞學研究書目》中分類已經十分詳細，檢索容易，至於林玫儀《詞學論著總目》分類更細，兩者相較，《詞學研究書目》偶有闕漏，而《詞學論著總目》亦難免有瑣碎之失，都是在所難免，很難單就某一層面判定那一本比較容易檢索。比如關於「合論」的處理方式，「三李」、「蘇辛」等作家合論可以說是詞學研究上熱門的論題，黃文吉特列出這些熱門的類目，並以重複著錄的處理方

式，對於研究者可說是十分便利，而林玫儀用參見法將條文置於時代較前的地方，其餘各處標明該條條號，雖說是非常仔細，但讀者使用起來反而較爲複雜。事實上，兩部書的資料搜羅都十分謹愼詳細，而且構成了有機的、有系統的詞學研究集成，並非只是剪刀漿糊剪貼而已。然而資料永遠是蒐集、考證不完的，所以也沒有所謂眞正完美的目錄。因此二書孰優孰劣，其實只是在讀者習慣罷了。

五、結　語

完整的目錄，可以客觀反映出一專門學科研究的總成績。《詞學研究書目》以及《詞學論著總目》都可說是非常傑出的專科目錄，此二書的出現，展現了本世紀以來的詞學研究成果，也使得研究詞學的學者能更方便取得資料，學者如能站在前人研究的基礎上，那麼研究自然可以事半功倍。

歷來研究詞學的學者眾多，然而往往因爲資料的難以取得，使得學者無法了解現階段的詞學成就到了什麼地步，而且可供參考的資料少了許多，那麼作出來的研究成果也就大打折扣。以往海外的資料往往難以得見，尤其是大陸的出版品。大陸學者研究的成果，因爲礙於地域和政治的因素，而很難加以全面性的了解。有了完善的詞學目錄，就可以了解詞學研究的成就，避免重複的研究課題，對於兩岸的學術交流也有很大的幫助。

總而言之，這兩部詞學目錄在詞學研究上可說是十分重要的成果，相信以後詞學研究的路途會因爲這兩部詞學目錄的出現而更爲寬廣。

國家圖書館出版品預行編目資料

專科目錄的編輯方法

林慶彰主編；何淑蘋編輯. – 初版. – 臺北市：臺灣學生，
2001[民 90]
面；公分

ISBN 957-15-1099-8 (平裝)

1. 目錄學 – 論文，講詞等

010.7   90016615

專科目錄的編輯方法(全一冊)

主　編　者：林　　　　慶　　　　彰
編　　　輯：何　　　　淑　　　　蘋
出　版　者：臺　灣　學　生　書　局
發　行　人：孫　　　　善　　　　治
發　行　所：臺　灣　學　生　書　局
　　　　　　臺北市和平東路一段一九八號
　　　　　　郵 政 劃 撥 帳 號：00024668
　　　　　　電　話：(02)23634156
　　　　　　傳　眞：(02)23636334
本書局登
記證字號　：行政院新聞局局版北市業字第玖捌壹號

印　刷　所：宏　輝　彩　色　印　刷　公　司
　　　　　　中 和 市 永 和 路 三 六 三 巷 四 二 號
　　　　　　電　話：(02)22268853

定價：平裝新臺幣二三〇元

西　元　二　〇　〇　一　年　九　月　初　版

臺灣 **學生書局** 出版

文獻學研究叢刊